D1050346

Prof. Dr. Paul Vogt war bis 1988 Direktor des Museum Folkwang in Essen. Er legte zahlreiche Veröffentlichungen über moderne Kunst vor: ›Christian Rohlfs – Aquarelle und Zeichnungen‹ (Recklinghausen 1958); ›Christian Rohlfs – Das graphische Werk‹ (Recklinghausen 1959); ›Erich Heckel‹ (Recklinghausen 1959); ›Farbige Graphik der Gegenwart‹ (Recklinghausen 1959); ›Standplastiken aus Stahl‹ (Düsseldorf 1961); ›Leuchter und Lampen aus Stahl‹ (Düsseldorf 1963).
Im DuMont Buchverlag erschienen: ›Das Museum Folkwang in Essen‹ (1965 und 1983); ›Christian Rohlfs‹; ›Was sie liebten – Salonmalerei im 19. Jahrhundert‹ (1967); ›Geschichte der deutschen Malerei im 20. Jahrhundert‹ (1972 und 1989); Expressionismus – Deutsche Malerei 1905–1920 (1978).

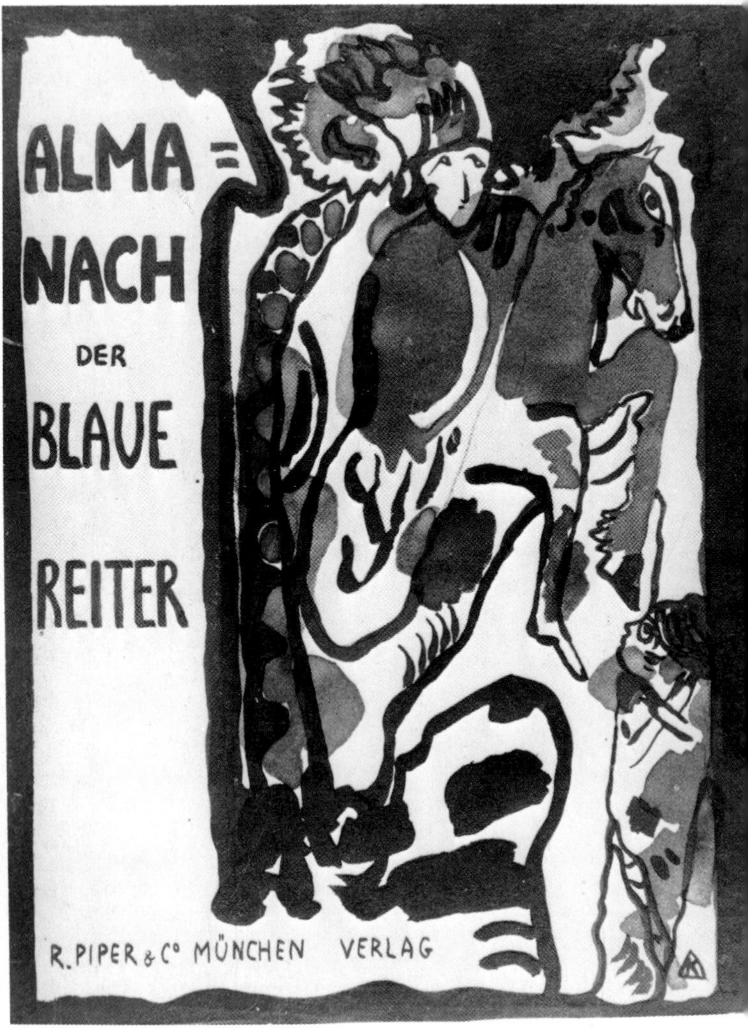
ALMA=
NACH
DER
BLAUE
REITER
R. PIPER & Co MÜNCHEN VERLAG

Paul Vogt

Der Blaue Reiter

DUMONT

Umschlagabbildung Vorderseite: Wassily Kandinsky, Improvisation 3. 1909 (Ausschnitt, vgl. Ft. 4)

Umschlagabbildung Rückseite: Wassily Kandinsky, Komposition IV. 1911 (Ausschnitt, vgl. Ft. 8)

Titelbild: Wassily Kandinsky, endgültiger Entwurf für den Umschlag des Almanachs ›Der Blaue Reiter‹. 1911

© 1977 DuMont Buchverlag, Köln
9. Auflage 1995
Alle Rechte vorbehalten
Druck und buchbinderische Verarbeitung: Boss-Druck, Kleve

Printed in Germany   ISBN 3-7701-0905-8

Inhalt

Vorwort

1912 erschien im Verlag R. Piper in München die erste Auflage des Sammelbandes ›Der Blaue Reiter‹, die wohl »bedeutendste Programmschrift der Kunst des 20. Jahrhunderts (Lankheit) und eine literarische Quelle von ungewöhnlichem dokumentarischen Wert. Mehr als sechzig Jahre sind seither vergangen. Nicht jede künstlerische Äußerung besitzt heute noch ihre einstige Aktualität; die Bedeutung der Publikation für die Kunst unseres Jahrhunderts ist dadurch nicht geschmälert worden. In ihr spiegelt sich die fruchtbare geistige Unruhe der Zeit vor dem Ersten Weltkrieg, mit ihrem Zukunftsglauben, ihrer künstlerischen Überzeugung und den Denkanstößen von europäischer Weite, deren Einflußlinien zwischen Ost und West sich in München kreuzten. In der Schärfe der Diktion wie an Kühnheit der Vorstellung, wenn auch vielleicht nicht an revolutionärer Haltung, übertreffen die Äußerungen der Redaktion des ›Blauen Reiters‹ bei weitem die wortkargen Manifeste der ›Brücke‹, die damals in Berlin ihre erste Blüte erlebte.

Die dokumentarische Neuausgabe des ›Blauen Reiters‹ von 1965, die Veröffentlichungen der Städtischen Galerie in München als Hüterin eines umfassenden Besitzes an Originalen und Archivalien sowie eine Reihe von Einzeluntersuchungen über die am ›Blauen Reiter‹ beteiligten Künstler haben eine Menge an neuem Material erschlossen. Es widerlegt die bis dahin oft gehörte Meinung, daß es »über die Tage, in denen der berühmt gewordene Sammelband seine Gestalt gewann, ... keine Dokumente« gäbe. Die Wertschätzung, die die Maler und der Begriff des ›Blauen Reiters‹ nicht nur in Deutschland genießen, seine entwicklungsgeschichtliche Bedeutung lassen jedoch leicht vergessen, daß es sich hier nicht um eine Künstlergemeinschaft ähnlich der der Dresdener ›Brücke‹, sondern lediglich um einen Redaktionskreis von zwei Malern, Franz Marc und Wassily Kandinsky gehandelt hat. Problemstellung und Zielrichtung des Textes verraten eindeutig die künstlerischen Vorstellungen der beiden Freunde, in die sie eine Reihe verwandt empfindender Künstler miteinbezogen. Man versuchte, Ideen zu formulieren, deren bildnerische Bewältigung noch ausstand, diskutierte deren Tragweite miteinander und verglich sie mit denen anderer Zeiten, Länder und Bereiche, um daraus ein Fazit für die Zukunft zu ziehen.

Die Wechselwirkung zwischen theoretischer Fundierung und praktischer Erfahrung, die Teilnahme bedeutender Persönlichkeiten aus Theorie, bildender Kunst und Musik erhöhten das Gewicht der Untersuchungen. Die folgenden Generationen konnten von einem Fundus zehren, der bis heute nicht erschöpft ist.

Die vorliegende Arbeit bezieht zum besseren Verständnis die Jahre des Umbruchs und der Vorbereitung zwischen 1900 und 1912, vom Jugendstil und Naturlyrismus bis zum Ende der ›Neuen Künstlervereinigung München‹ als Vorstufen mit ein.

Sie ist nicht als wissenschaftlicher Kommentar zu den bisherigen Veröffentlichungen gedacht, sondern möchte unter Verwendung der mittlerweile erschlossenen Quellen ein Bild jener Aufbruchsjahre zeichnen, die in die Problematik des neuen Jahrhunderts überleiteten, die der »absoluten (abstrakten) Malerei« (Kandinsky). Mit dem Ausbruch des Ersten Weltkrieges zerbrachen die Ansätze. Er zerstreute die Freunde, aber er lähmte die Impulse nicht, wie wir aus dem Abstand der Zeit wissen.

Ein dokumentarischer Anhang zitiert aus den Quellen jener Jahre, soweit sie auf den Text Bezug nehmen und nicht für den interessierten Leser rasch greifbar sind. Weitere Angaben lassen sich dem Literaturverzeichnis entnehmen, das sich allerdings auf die wesentlichen Veröffentlichungen beschränkt.

Essen, im April 1976   Paul Vogt

1 Franz Marc um 1913

2 Wassily Kandinsky in München. 1913 ▷

Zur Zeitsituation

Die Krise der europäischen Kunst, die sich seit dem Ende des 19. Jahrhunderts abzeichnete, gewann gegen 1904/05 schärfere Prägnanz. Eine revolutionär gestimmte Künstlergeneration trat ihren Weg an, in einer Situation gärender Unruhe, die ihre Vorgänger wie van Gogh und Gauguin, Munch oder Ensor mit ihrer Kritik am Lebensentwurf des Impressionismus heraufbeschworen hatten. Er war der letzte ›große Stil‹ gewesen, in dem sich die Realität des Sichtbaren noch einmal glanzvoll manifestiert hatte. Aus dem fraglosen Einverständnis mit der Außenwelt, ihrer Anerkenntnis als Basis des Wirklichen, wie sie sich in der ästhetischen Überhöhung durch die Bilder von Monet und Renoir, von Sisley und Pissarro so beglückend spiegelt, war ein jäher Zweifel aufgetreten, die Frage nach dem tatsächlichen Bezug zwischen dem Ich und der Welt. Der Glaube an die Realität visueller Eindrücke, die sinnliche Wahrnehmung als Grundlage eines optimistischen Verhältnisses des Künstlers zur Natur erschienen plötzlich fragwürdig. Wichtiger als die Erscheinung der Dinge wurden die Empfindungen, die sie auslösten. Der Blick richtete sich nach innen. Es ging fortan nicht mehr darum, Natur zu reproduzieren, sondern sie durch die Kunst zu repräsentieren. Der Künstler Auftrag wurde die Untersuchung, Offenlegung und Bestätigung des permanenten Spannungsverhältnisses zwischen der Innen- und Außenwelt, ihre Aufgabe, nicht mehr als das Sichtbare wiederzugeben, sondern sichtbar zu machen, wie es Paul Klee so eindringlich formuliert hat.

3 Ernst Ludwig Kirchner, Fränzi vor geschnitztem Stuhl. 1910

4   Emil Nolde, Im Café. 1911

Diese neue Blickrichtung bestimmte in Frankreich wie in
Deutschland das Schaffen der Maler. Doch die Definition des gemeinsamen Begriffes ›Expression‹ – Symbol für den Versuch, der
Realität den Ausdruck persönlicher Empfindungen zu überlagern
und sie dadurch zu abstrahieren – erwies sich letztlich als nicht
für beide Länder verbindlich. In Deutschland interessierte die
Idee mehr als die künstlerische Form, erschien die geistige Konzeption wichtiger als das Bild. Gegen die Scheinwelt des Gegenständlichen setzte man die Vision einer umfassenderen Wahrheit,
das »Universum des Innern«. »Deformierung der Natur«, wie
man den Umschmelzungsprozeß damals nannte, wurde nicht als
formale, sondern als metaphysische Notwendigkeit begriffen.
»Instinkt ist zehnmal mehr als Wissen«, formulierte Emil Nolde

5 Erich Heckel, Sächsisches Dorf. 1910

gleichzeitig für seine Mitstreiter. Sie waren wie er der Überzeugung, daß die Funktion des Kunstwerks allein im Ausdruck
eines starken Lebensgefühls, in der Interpretation der Begriffe
›Mensch‹ und ›Wirklichkeit‹ bestehe. Aus dieser Haltung ergaben
sich die Distanzierung zur Natur, der Fortfall der Beschreibung
zugunsten der Suche nach dem ›großen Geheimnis‹, dem sich die
Realität des sichtbaren Seins unterzuordnen habe, damit sie dem
Künstler nicht den Weg zum Kern der Dinge verstelle.

Die Öffentlichkeit hatte von den sich hier anbahnenden Wandlungen kaum Notiz genommen. In ihren Augen galten die Fauves, die Expressionisten und ihre Verwandten als Esoteriker
oder als Bilderstürmer. Schon wurde in Berlin das Wort von der
drohenden ›Entartung‹ der Kunst geprägt, lange vor dem Drit-

ten Reich. Die Ausstellungen der jungen Künstler wurden abgelehnt, bestenfalls verspottet. In Deutschland waren ohnehin die entscheidenden Anregungen nicht wie in Frankreich von der Hauptstadt ausgegangen. In der deutschen Metropole setzte sich damals gerade mit den führenden Kräften der ›Berliner Secession‹ (die sich 1898 nach dem Munch-Eklat aus den akademischen Richtungen abgespalten hatte) die Freilichtmalerei als durchaus nicht allseitig akzeptierte jüngste Richtung durch. Corinth, Liebermann und Slevogt, von den Traditionalisten als Anhänger des französischen Impressionismus bekämpft, vertraten in den Augen des Publikums eine revolutionäre Position, die in Wirklichkeit längst überholt war. Ihr wachsendes Renommee blockierte jedoch der heranwachsenden Generation den Weg, deren Vertreter ohnehin als Einzelgänger oder wie die Künstler der Dresdener ›Brücke‹ als kleiner Freundeskreis in der Provinz lebten. Erst die Übersiedlung der ›Brücke‹ in die deutsche Hauptstadt markierte gegen 1910/11 den Beginn der entscheidenden Auseinandersetzungen und den endgültigen Durchbruch des nord- und mitteldeutschen Expressionismus. Das lebhafte und anspruchsvolle geistige Klima Berlins wie die Spannungen der letzten Vorkriegsjahre prägten seinen Charakter. Selbst ein Eigenbrötler wie Nolde geriet in den Bereich der Ausstrahlungen. Seine berühmte Attacke auf Max Liebermann kennzeichnet in aller Schärfe die Unvereinbarkeit der jeweiligen künstlerischen Positionen, wobei sich die der Expressionisten als die tragfähigere erweisen sollte. Berlin wurde damals zum Zentrum der expressionistischen Revolution.

Im Süden Deutschlands sammelten sich die jüngeren Kräfte in und um München. Ihre Ziele und Argumente waren denen der nord- und mitteldeutschen Maler verwandt, doch verlief die Entwicklung anders. Hier wirkten noch lange bodenständige Traditionen nach, zudem machte sich bald der Einfluß ausländischer Künstler bemerkbar. Schon früh waren in München Ausstellungen zeitgenössischer französischer Kunst zu sehen. Östliches Gedankengut floß durch die kleine russische Künstlerkolonie ein, die sich seit dem Ende des 19. Jahrhunderts dort etabliert hatte. Sie vor allem sollte das Bild der süddeutschen Szene

6 Ernst Ludwig Kirchner,
Die Maler der Brücke. 1925
(v. l. n. r.: Mueller,
Kirchner, Schmidt-Rottluff,
Heckel)

unverwechselbar prägen. Von den Expressionisten wußte man
wenig, lediglich zu Pechstein bestanden lose Kontakte. Erst Franz
Marc stellte durch seinen Berlinbesuch im Winter 1911/12 Ver-
bindungen her, die allerdings nicht tief gingen und ein letztes
Unverständnis wie etwa bei Kandinsky nicht auszuräumen ver-
mochten.

In München bestimmten neben den symbolistischen Tendenzen
des deutschen Naturlyrismus vor allem Ideen des Jugendstils
die Motivation der jungen Maler und lenkten ihren Blick in
eine bestimmte Richtung. Die Anhänger des Naturlyrismus, be-
heimatet in landschaftsgebundenen Schulen wie Dachau im Süden oder Worpswede im Norden, hatten schon im Ausgang des
19. Jahrhunderts Natur so umgeformt und stilisiert, daß sie
Stimmungen und Gefühle evozierte. Vor allem der Farbe waren
dabei expressive Wirkungen abverlangt worden. Daß der junge
Nolde nach Dachau ging, als er nicht in das Münchener Atelier
von Stuck aufgenommen wurde, ist so gesehen nur folgerichtig.

Die Argumente des Jugendstils deckten sich teilweise mit denen
des Naturlyrismus, zielten im Ganzen jedoch weiter. Seine for-
mal-ästhetische Konzeption gründete sich im wesentlichen auf

7 Fritz Erler, Pferde am Bach

8 Adolf Hoelzel, Landschaft mit Birken. 1902

die Elemente von Fläche und Linie. Ausgangspunkt war die stilisierte Naturform, deren Umsetzung neue gestalterische Möglichkeiten eröffnete. Aus dem graphischen Lineament bildete sich etwa ein florales Ornament, das dekorativ außerordentlich wirksam war. Zugleich erwies sich jedoch die dem Ornament zugrundeliegende Linie als zukunftsweisende Kraft, wenn man sie nicht formbezeichnend, sondern als abstraktes Gestaltungselement ansah. »Eine Linie«, formulierte der belgische Architekt Henry van de Velde, »ist eine Kraft; sie entlehnt ihre Kraft der Energie dessen, der sie gezogen hat.« Hier war jene für die süddeutsche Situation so bedeutsame Erkenntnis angesprochen worden, daß sich die Bilder der Natur durch abstrakte Formen als Mitteilungszeichen umfassenderen Charakters ersetzen ließen. Die Überzeugung von der »Macht der reinen Form über das menschliche Gemüt«, die Vorstellung, daß Linien und Farben gefunden werden könnten, »in welchen die Formen der Wirklichkeit virtuell enthalten sind, die metaphysisch viel wirklicher sind als jene schwachen, der gehirnlichen Wahrnehmung angepaßten Reflexe der Wesenheit« – Gedanken, die in München im Umkreis der Zeitschriften ›Pan‹ und ›Jugend‹ formuliert wurden, deuten schon früh die Richtung zum ›Blauen Reiter‹ an. Es bedurfte im Grunde nur eines geringen, wenn auch entscheidenden Anstoßes, um die gegenstandsfreie Form aus ihrer Überwucherung durch den kunstgewerblichen Dekor zu befreien und für den Künstler nutzbar zu machen.

Hinzu kam die Erkenntnis von der emotionalen Wirkung der Farbe. Auch hier hieß das Ziel nicht mehr Gegenstand, sondern Ausdruck; der Künstler beschäftigte sich mit der Überlegung, »ganz reine Flächenhintergründe zu schaffen, in denen eine verlorene Musik von Farben und Formen schwebt« (O. Bie).

Solche Vorstellungen setzten sich selbstverständlich nur schrittweise durch. Die Auseinandersetzungen um das neue Gedankengut waren wie in Berlin hart. »In keiner Stadt Deutschlands stieß Altes und Neues in so heftiger Form aufeinander wie in München«, erinnerte sich später Corinth. Zum Sprachrohr der jungen Bewegungen wurden die beiden 1896 gegründeten satirischen, antiklerikalen und antiakademischen Zeitschriften ›Simplicissimus‹ und ›Jugend‹. Ihre Redaktionen vertraten das unabhängige künstlerische Schaffen; sie bemühten sich, alle zukunftsweisenden Bestrebungen zu würdigen und zu fördern, nicht nur den Jugendstil, wie man dem Namen nach vermuten könnte. Bereits vier Jahre zuvor hatten sich jüngere Künstler im Widerstand gegen die traditionellen Kräfte zur (ersten deutschen) ›Neuen Sezession‹ zusammengeschlossen. Sie wollten vor allem der von Lenbach beherrschten ›Münchener Künstlergenossenschaft‹ bessere Ausstellungsbedingungen für die unabhängigen Kräfte abtrotzen. 1899 gründeten Künstler aus dem Kreis der eben genannten Zeitschriften eine neue Arbeits- und Interessengemeinschaft. Noch im selben Jahr ging aus der Keimzelle dieser ›Jugendgruppe‹ die ›Künstlervereinigung Scholle‹ hervor. Die Tatsache, daß die meisten Mitglieder zugleich Mitarbeiter an der ›Jugend‹ waren, bedeutete im Sinne eines einheitlichen Stilausdrucks nur wenig. Eher machte sich die alte Problematik solcher lokal inspirierten Vereinigungen bemerkbar: Form streitet gegen Empfindung, Natur gegen Stil. Immerhin verbanden sich hier die eben erwähnten bildornamentalen Tendenzen mit der Naturpoesie zu stimmungsvollen und gefühlswirksamen Schilderungen. Das Formvokabular blieb einfach: weiße Birken vor dunklen Mooren, geduckte Hütten, Wege, die sich im Dämmern verlieren. Nachhaltiger wirkte die suggestive Kraft der Farben. Sie beschwor jene melancholische Verzückung herauf, die der akademische Realismus nicht kennt, deutete die Bereitschaft des Künstlers an, dem inneren Leben der Natur zu lauschen und ihm zu antworten. Das Wagnis eines revolutionären Stils wurde dabei nicht eingegangen; die ästhetischen Begriffe des bürgerlichen Zeitalters dominierten.

Ihrem Wesen nach war die 1894 gegründete Malergruppe ›Neu-Dachau‹ der ›Scholle‹ verwandt. Auch dort drangen die Maler über die erlernte akademische Auffassung hinaus zum Urzuständlichen der Landschaft vor. Deutlicher äußerte sich jedoch das verbindende Grundgefühl der gemeinsamen Aufgabe, das aus der etwas melancholischen Beziehung zur Natur erwuchs. Obgleich Stilisierung ein fast selbstverständliches Gebot war, zog nur ein Künstler aus der »Gewohnheit, beim Durchdenken einer

9 Adolf Hoelzel,
Belgisches Motiv.
Um 1908–10

Sache oder beim Versenken in eine Stimmung den inneren rhyth-
mischen Vorgang durch auf das Papier gezeichnete Linien zu
durchdenken« die Konsequenz. Noch vor Kandinsky überschritt
Adolf Hoelzel die Grenze zur Abstraktion. Die Vereinfachung
der Form, die Konzentration auf bildwichtige Kompositions-
zusammenhänge, die rhythmische Gliederung der Flächen, die
Beurteilung der Farbe nach ihrem bilddekorativen Wert – das
alles sind Hinweise auf künstlerische Forderungen, »die aus der
Natur im landläufigen Sinne nicht mehr ableitbar sind. Damit
ist die Frage nach dem Bildbegriff gestellt«. Auch in diesem Fall
hatte der Jugendstil als direkte Vorstufe auf der Suche nach den
bewegenden Kräften in Natur und Kunst gedient. Allerdings
verließ Hoelzel bereits 1906 die Münchener Szene, gerade, als
sich dort die entscheidenden Wandlungen anbahnten.

In den Mittelpunkt der Entwicklung tritt eine andere Künst-
lerpersönlichkeit: Wassily Kandinsky, gebürtiger Russe, seit 1896
in München lebend.

Die Vorgeschichte des ›Blauen Reiters‹

Moskau hatte sich vor dem Ersten Weltkrieg zusehends zur Hochburg der abstrakten Richtungen entwickelt. Die aus dem Westen hinüberwirkenden Impulse: Symbolismus, Fauvismus, Kubismus oder Futurismus wurden von den jungen Künstlern sogleich ins Abstrakte umgedeutet – basierend auf der in der russischen Mentalität tief verwurzelten Bereitschaft, im Sinnzeichen die höhere Realität zu erkennen. Der östliche Mystizismus, die Zeichensprache russischer Ikonen hatten den Weg bereiten helfen. Nicht von ungefähr konnte also gerade in München der russische Einfluß den letzten Anstoß zur Verwirklichung der theoretisch voll ausgebildeten abstrakten Kunst geben.

Kandinsky selbst hatte sich schon bei einer Impressionistenausstellung in Moskau angesichts der Heuhaufen-Bilder Monets gefragt, ob nicht die Macht reiner Farben eine ungleich größere künstlerische Realität darstelle als der Gegenstand. Diese Überlegung sollte ihn nicht nur weiterbeschäftigen, sie wurde nach der Übersiedlung nach München zur stärksten Triebfeder des künstlerischen Schaffens. Eine ausgesprochene synästhetische Begabung unterstützte diese Zielrichtung, die sich mit den schon seit dem 19. Jahrhundert in Europa diskutierten Vorstellungen von einer Assoziation zwischen Farbe und musikalischem Klang traf. Die Vorstellungen des Münchener Jugendstilkünstlers Endell von einer »Formkunst, die durch freigefundene Formen wirkt wie die Musik durch freie Töne« mußte die Sensibilität des Russen anrühren, der schon als Student beim Hören Wagnerscher

10 Wassily Kandinsky, Vor der Stadt. 1908

11 Wassily Kandinsky, Helle Luft. 1902

12 Wassily Kandinsky, Alte Stadt (Rothenburg o. d. Tauber). 1902

13   Wassily Kandinsky, Das bunte Leben. 1907

Musik vermerkte: »Ich konnte alle meine Farben sehen, es wurde mir bewußt, daß Malerei die gleiche Macht wie Musik besitzt.« Ein weiteres kam hinzu. Auch die Erkenntnisse der zeitgenössischen Naturwissenschaft bestätigten die jungen Künstler auf ihrem Wege. Die Begründung der Quantentheorie durch Max Planck 1900 hatte nicht allein für die Physik, sondern ebenso für die allgemeine Naturanschauung einen Wandel der bisherigen Vorstellungen bewirkt. Einsteins Relativitätstheorie, sein Gesetz der Gleichwertigkeit von Masse und Energie, das den Zugang zur Atomkernforschung eröffnete, wurde nicht viel später veröffentlicht. Kernspaltung und Raum-Zeit-Kontinuum wurden auch von den Künstlern als Ereignisse begriffen, die die bisherigen Anschauungen umstürzten: die Welt weitete sich über ihre

23

bis dahin scheinbar festen Grenzen ins unermeßlich Kleine und Große, aber auch in das Unanschauliche, für das neue Sinnzeichen gefunden werden mußten. Kandinsky hat ausdrücklich betont, wie wichtig ihm diese Bestätigung durch die Naturwissenschaft für die angestrebte Lösung vom Gegenstand war, weil dadurch »eines der gewichtigsten Hindernisse auf dem Wege zur Verwirklichung meiner Wünsche von selbst sich auflöste und verschwand«. »Die kommende Kunst wird die Formwerdung unserer wissenschaftlichen Überzeugung sein«, notierte Franz Marc. Pflicht des Künstlers war es, die erweiterte Schöpfung auf seine Weise und mit seinen Mitteln anschaulich zu machen.

1901 gründete Kandinsky in München die Malschule und Künstlergruppe ›Phalanx‹, ein Versuch, seine Erkenntnisse Gleichgesinnten zu übermitteln und so einen Kristallisationspunkt zu schaffen. Die von ›Phalanx‹ ausgehenden Impulse reichten jedoch trotz einer Reihe von Ausstellungen, die der

14   Wassily Kandinsky, Oberbayerische Kleinstadt (Murnau). 1909

15 Plakat der ersten ›Phalanx‹-Ausstellung. 1901

jüngsten europäischen Moderne gewidmet waren, nicht aus, für
den erträumten Stützpunkt internationaler junger Kunst eine
tragfähige Basis zu schaffen. Der Mangel an einem klaren Kon-
zept, an fundierter Überlegung wie an kongenialen Mitstreitern
führten bereits 1904 zum Ende der Unternehmung.

Kandinsky konzentrierte sich in den folgenden Jahren auf
Paris. Als Mitglied des ›Salon d'Automne‹ und der ›Indépen-
dants‹ geriet er in den Einflußbereich des Fauvismus. Die Auseinandersetzung mit der französischen Entwicklung klärte die
eigene Situation, wies in eine andere Richtung. An die Stelle der
russisch-folkloristischen, spätimpressionistisch farbigen Märchenwelt traten zusehends starkfarbige, vom optischen Eindruck
weitgehend gelöste Kompositionen, die trotz ihres noch immer
östlichen Charakters den selbständigeren Umgang mit Farbe be-
zeugten. Als der Maler 1908 nach München zurückkehrte, be-

schäftigten ihn erneut die alten Überlegungen über den musikalischen Farbwert – nun war er allerdings besser gerüstet, darauf einzugehen. Er begriff, daß das Motivische in dem Maße an Bedeutung verlieren mußte, als sich das Inhaltliche eines Bildes durch die symbolischen wie emotionalen Möglichkeiten der Farbe ausdrücken ließ. Zu diesem Zeitpunkt bedeutete das langsame Zurücktreten des Gegenstandes zugunsten einer zunehmenden Verselbständigung von Farbe und Form keineswegs den Entschluß zur Abstraktion. Sie blieb das weitest gesteckte, mögliche Ziel. So ist das erste abstrakte Aquarell von 1910 (Abb. 16) mehr als Zeichen für das Abtasten von Grenzen als ein Endpunkt einer künstlerischen Entwicklung zu verstehen, die vorerst noch vom Gegenständlichen her bestimmt war. Der damals verfaßte Text ›Über das Geistige in der Kunst‹ verdeutlicht diese spannungsvolle Situation, schließt aber sinngemäß die »äußere Natur« als Ursprung von »Vibrationen« für den Künstler nicht aus.

Die theoretische Erkenntnis des Zieles wie das Unvermögen, es bildnerisch zu bewältigen, bezeichnen die Lage zu diesem Zeitpunkt. Die Suche nach geeigneten Bezugspunkten zwischen der Innen- und Außenwelt forderte den Intellekt heraus, verlangte nach Diskussion mit Gleichgesinnten. Zum engeren Kreis um Kandinsky gehörten zu jener Zeit der Russe Alexej von Jawlensky, auch er im Banne der französischen Kunst, Marianne von Werefkin, die mit Jawlensky 1897 nach München gekommen war, und Gabriele Münter, seit 1902 Schülerin der ›Phalanx‹ und Gefährtin Kandinskys. In diesem Kreis mag der Gedanke an die Gründung einer Künstlergemeinschaft aufgekommen sein, die als Sammelbecken der Avantgarde verstanden werden konnte. So wurde am 22. 1. 1909 die ›Neue Künstlervereinigung‹ ins Leben gerufen und am 22. 3. desselben Jahres in das Münchener Vereinsregister eingetragen. Als Gründungsmitglieder zeichneten außerdem der in New York geborene, seit 1904 in München ansässige Adolf Erbslöh, der Karlsruher Alexander Kanoldt, der 1908 nach München gekommen war, der Zeichner und Schriftsteller Alfred Kubin, durch seinen 1908 erschienenen Roman ›Die andere Seite‹ mit Kandinsky bekanntgeworden, sowie die ›Kunsttheoretiker‹ Dr. Heinrich Schnabel und Dr. Oskar Wittenstein.

16 Wassily Kandinsky, Erstes abstraktes Aquarell. 1910

Noch im ersten Jahr des Bestehens schlossen sich ihnen der deutsche ›Neoimpressionist‹ Paul Baum, der ehemalige russische Offizier und Maler Wladimir von Bechtejeff, die Maler Erma Barrera-Bossi und Karl Hofer, der Bildhauer und Medailleur Moissey Kogan und der Tänzer und Entwerfer von Bühnenbildern Alexander Sacharoff an.

Der vom üblichen Charakter künstlerischer Interessengemeinschaften abweichende Zusammenschluß dürfte in den Vorstellungen Kandinskys begründet gewesen sein: »Außer dieser Verbindung verschiedener Länder zu einem Zweck, den wir alle für den höchsten hielten, gab es noch eine, die damals neu war: außer Malern und Bildhauern wurden zu Mitgliedern auch Musiker, Dichter, Tänzer und Kunsttheoretiker gewählt. D. h. wir suchten Einzelerscheinungen ... zu einem ›Eins‹ zu verbinden ...«

18 Alexej von Jawlensky, Selbstporträt mit Zylinder. 1904, Nr. 3

17 Gabriele Münter, Bildnis Marianne Werefkin. 1909

19 Wladimir von Bechtejeff, Rossebändiger. Um 1912

Hier klingen bereits Ideen an, die erst später im ›Blauen Reiter‹
feste Gestalt gewinnen sollten. Andererseits barg die Vielfalt der
Ansichten und Überzeugungen nicht weniger als die Qualitäts-
unterschiede Ansatzpunkte zu erheblichen Kontroversen in sich.
Kandinskys kühne Folgerungen, die sich nun auch bildnerisch

abzuzeichnen begannen, mußten vor allem bei den schwächeren Kräften Widerspruch erregen.

Das erste Zirkular der ›Neuen Künstlervereinigung‹ klingt ebenso hoffnungsfroh wie ausgleichend. Es verweist darauf, daß künstlerische Synthese die Losung der Stunde sei, die ebenso auf der Grundlage äußerer Eindrücke wie auf dem Erlebnis der ›inneren Welt‹ basieren könne. Der später hinzugekommene Kunsthistoriker Otto Fischer betonte die notwendige »Gemeinsamkeit der inneren Überzeugung«. Ausstellungen sollten die Verbindung zur Öffentlichkeit herstellen. Hier mußten jene Werke in Er-

20 Adolf Erbslöh, Oberbayerische Berglandschaft bei Brannenburg

scheinung treten, die im »Blick auf das neue Ziel« geschaffen wurden – eine kurzlebige Hoffnung, wie sich bald herausstellte. Im Dezember 1909 eröffnete die erste Ausstellung in der ›Modernen Galerie H. Thannhauser‹. »Heinrich Thannhauser hatte damals vielleicht die schönsten Ausstellungsräume in ganz München, und diese Räume erzwang Tschudi (H. v. Tschudi, Generaldirektor der bayrischen Museen) bei ihm ...« (Kandinsky). Die Statuten sahen übrigens Juryfreiheit für zwei von jedem Mitglied eingereichte Bilder vor, vorausgesetzt, sie überschritten nicht die Größe von 4 m². Diese Regelung sollte noch eine wichtige Rolle spielen.

Man hatte einige Gäste geladen, die die Qualität nicht erhöhten: Emmy Dresler, Schülerin der ›Phalanx‹ und Anthroposophin, den Franzosen Pierre Girieud, Robert Eckert und Carla Pohle. Die Resonanz der Öffentlichkeit war negativ. »Entrüstung und das Gelächter der Menge, die Beschimpfungen der Presse waren das äußere Ergebnis« – so Otto Fischer. Die Kritik scheint nicht ganz unbegründet: die Ausstellung präsentierte sich so heterogen wie die Ansichten und die Fähigkeiten der Ausstellenden. Erst die zweite Manifestation im September 1910 am selben Ort zeigte deutliches Profil bei sehr viel höherer Qualität. Bei den deutschen Teilnehmern war das Bild nur unwesentlich verändert, Paul Baum und Karl Hofer waren mittlerweile ausgeschieden. Doch zeichnete sich bei ihnen schon jetzt eine beginnende Interessengruppierung ab: auf der einen Seite Kandinsky und sein Freundeskreis mit Arbeiten, die ebenso auf einem östlich gefärbten Jugendstil wie auf Anregungen des französischen Fauvismus basierten, noch mehr dekorativ als expressiv, doch immerhin eine ausgesprochene Zielrichtung verratend. Den Gegenpol bildeten die Maler des Münchener Milieus zwischen Jugendstil, Symbolismus und Naturlyrismus, trotz einiger Ansätze zu zeitaktuellen Formulierungen mehr und mehr als retardierendes Element im Sinne europäischer Entwicklung erkennbar. Der Schwerpunkt lag bei den Arbeiten der ausländischen Gäste. Braque, Derain, van Dongen, Le Fauconnier, Picasso, Rouault und Vlaminck hatten Bilder eingesandt, in denen sich bereits die nahende Auseinandersetzung mit dem Kubismus ankündigte. Auch der russische Anteil mit Werken der Brüder Burljuk (Mitbegründer der Moskauer Futuristengruppe 1910) sowie von Wassily Denissoff und Alexander Mogilewsky neben denen der Mitglieder Bechtejeff, Jawlensky, Kandinsky und Marianne von Werefkin war gravierend.

21 Wassily Kandinsky, Bildnis Gabriele Münter. 1905

Die Kritik zeigte sich auch diesmal nicht versöhnlicher. Die Zeitungen bezogen erbittert Stellung gegen die »west-östlichen Apostel der neuen Kunst«. »Diese absurde Ausstellung zu erklären, gibt es nur zwei Möglichkeiten: entweder man nimmt an, daß die Mehrzahl der Mitglieder und Gäste der Vereinigung unheilbar irrsinnig ist oder aber, daß man es mit schamlosen Bluffern zu tun hat, denen das Sensationsbedürfnis unserer Zeit nicht unbekannt ist ...« (›Münchener Neueste Nachrichten‹). »Sie schreiben auch geheimnisvolle Dinge über Kunst«, vermerkte der Kritiker der ›Kunst für Alle‹, »... jetzt phantasieren sie mit

22 August Macke 1913

Pinsel und Stift wie Fieberkranke . . . Stoff und Motiv ist streng
verpönt . . .« – eine sicher nicht ganz unrichtige Beobachtung,
wenn man jene Werke ins Auge faßt, die trotz ihrer noch be-
stehenden Abhängigkeit vom Naturvorbild schon freiere formale Rhythmen und Farbklänge demonstrierten. Der Katalog-

text ist proklamatorisch angelegt; er zeichnet sich jedoch vor allem bei Le Fauconnier und Kandinsky durch eine relativ treffende Ansprache der neuen Gestaltungsmittel und -ziele aus (s. S. 109ff.). August Macke, der die Ausstellung zweimal besuchte, spürte allerdings die internen Gegensätze wie das Fragmentarische mancher Ansätze, wie aus seinem Schreiben vom 26. 12. 1910 an Franz Marc hervorgeht: »Die Vereinigung ist sehr ernst und mir als Kunst das liebste von all denen. Aber, aber – es schüttelt mich nicht ... Die Bossi, Münter, Kanoldt sind vielleicht die schwächsten und deshalb die selbstverständlichsten. Kandinsky, Jawlensky, Bechtejeff und Erbslöh haben riesiges künstlerisches Empfinden. Aber die Ausdrucksmittel sind zu groß für das was sie sagen wollen ...« Was Macke hier auszudrücken versuchte, bezeichnet exakt die Situation: der in die Richtung auf das autonome Bild sich steigernde Fauvismus bei Kandinsky, die ins Dekorative oder Sentimentale abirrende Jugendstilästhetik oder der sich monumental gebärdende Naturlyrismus bei den schwächeren Kräften.

Wir verdanken dieser Ausstellung jedoch eine Begegnung von erheblicher Tragweite. Aus dem Chor der gegnerischen Stimmen hob sich eine begeistert zustimmende ab. »Thannhauser zeigte uns einen Brief von einem uns bekannten Münchener Maler, der uns zur Ausstellung beglückwünschte und seine Begeisterung in ausdrucksvollen Worten kundtat. Dieser Maler war ein ›echter Bayer‹, Franz Marc« (Kandinsky). Marcs Streitschrift ›Zur Ausstellung der Neuen Künstlervereinigung bei Thannhauser (1910)‹ führte zur einstimmigen Beitrittsaufforderung und Wahl in den Vorstand. Kandinsky hatte damit eine nicht hoch genug einzuschätzende Unterstützung erhalten. Doch dürfte die Freundschaft zwischen den beiden kongenialen Künstlern den latenten Zwist innerhalb der Neuen Künstlervereinigung zweifellos vertieft und die Kluft zwischen den erwähnten Gruppierungen erweitert haben. Im Januar 1911 schon trat Kandinsky als Vorsitzender zurück, unter Hinweis auf die »prinzipielle Verschiedenheit der Grundansichten«. Nicht der zweite Vorsitzende Jawlensky, sondern Erbslöh wurde sein Nachfolger, der mit Kanoldt die Gegenpartei vertrat. Marc versuchte in Vorahnung

23 Gabriele Münter, Mann am Tisch (Kandinsky). 1911
    Abgebildet im Almanach ›Der Blaue Reiter‹

der nahenden Auseinandersetzungen Macke als Mitglied und damit als Beistand für das eigene Lager zu gewinnen: »Sieh doch
zu, Dich möglichst bald zu uns zu schlagen und zwar aus folgen-
dem Grunde: ich sehe mit Kandinsky klar voraus, daß die
nächste Jury (im Spätherbst) eine schauderhafte Auseinander-
zung geben wird und jetzt oder das nächstemal dann eine Spaltung, resp. Austritt der einen oder der anderen Partei; und die
Frage wird sein, welche bleibt?« (18. 8. 1911).

Trotz seiner Weigerung, beizutreten, »Ich mußte mich etwas
auf mich selbst besinnen aus all dieser Kunstpolitik heraus, die
einen zu sehr ablenkt«, warb Macke im Rheinland eifrig für die
künstlerischen Ziele des Kandinsky-Kreises. Anschlußausstellun-
gen in Karlsruhe, Mannheim, im Hagener Folkwang-Museum
und in Dresden schufen neue Resonanz, vergrößerten aber auch
die Zahl der Gegner. Der bekannte Kunsthändler Cassirer, der
die Ausstellung nach Berlin übernehmen wollte, trat im letzten

24 Gabriele Münter, Dorfstraße im Winter. 1911

Augenblick zurück: »Grund, es seien nicht, wie im Vertrag steht, ›Werke Münchener Künstler‹!« (Marc an Macke, 14. 1. 1911)

Die heftigen Kontroversen zwischen den Verfechtern von Tradition und Fortschritt, die nicht nur in München ausgefochten wurden, kulminierten damals in einer Streitschrift des Worpsweder Malers Carl Vinnen, die im Verlag von Eugen Diederichs (Jena) erschien. Er hatte den Ankauf eines Bildes von van Gogh durch die Bremer Kunsthalle zum Anlaß genommen, den Einfluß der ausländischen Kunst grundsätzlich zu verdammen und vor allem die der neuen Kunst aufgeschlossenen Galerieleiter zu attackieren, wobei ihn die ›national‹ gesinnten Künstler, Museumsdirektoren und Schriftsteller vorbehaltlos unterstützten. Dieser Angriff provozierte eine harte Entgegnung in der Schrift ›Deutsche und französische Kunst‹, die in dem jungen R. Piper-Verlag in München erschien. An ihr waren außer den direkt Betroffenen wie Marc und Kandinsky so maßgebenden Köpfe wie

25 Wassily Kandinsky, Reiter über Hürde springend. 1910

Gustav Pauli, K. E. Osthaus, Wilhelm Hausenstein, Alfred Lichtwark, Wilhelm Worringer sowie bedeutende Maler wie Liebermann, Rohlfs, Slevogt und Uhde beteiligt. In dieser gärenden Situation kam es nun auch in der ›Neuen Künstlervereinigung‹ zum Bruch. Bei der Vorbereitung zur dritten Ausstellung wurde Kandinskys *Komposition V* (Abb. 26), die die Größe für unjurierte Arbeiten nur um wenige Zentimeter überschritt, dem Urteil der Jury unterworfen und vom Kanoldt-Erbslöh-

Kreis abgelehnt. Dieser Affront bewog neben Kandinsky auch Marc und Gabriele Münter zum sofortigen Austritt. Kubin, Th. von Hartmann und Le Fauconnier erklärten sich solidarisch. Jawlensky und Marianne von Werefkin versuchten vergebens, die Gegensätze zu überbrücken, um die Vereinigung zu retten. Im folgenden Jahr traten auch sie aus, der Querelen unter den verbliebenen Mitglieder müde. Ihrer führenden Kräfte beraubt, löste sich die mit soviel Hoffnung begründete ›Neue Künstler-vereinigung‹ bald danach auf. Zwar fand die dritte Ausstellung noch wie vorgesehen vom 18. 12. 1911 bis zum Januar 1912 statt, jedoch in reduzierten Räumen. Nebenan hatten am 18. 12. 1911 die Mitglieder des ›Blauen Reiters‹ mit ihrer ersten Schau den Weg in die Öffentlichkeit angetreten.

26 Wassily Kandinsky, Komposition V. 1911
     (Abgelehnt zur 3. Ausstellung der ›Neuen Künstlervereinigung‹)

27 August Macke, Bildnis Franz Marc. 1910

›Der Blaue Reiter‹ –
Sammelband, Ausstellungen, Künstler

Einen Tag nach der Jury, die den endgültigen Bruch markierte, hatte Franz Marc seinem Bruder geschrieben: »Nun heißt's zu zweit weiterkämpfen! Die ›Redaktion des Blauen Reiters‹ wird jetzt der Ausgangspunkt von neuen Ausstellungen . . . Wir werden suchen, das Zentrum der modernen Bewegung zu werden . . .« Diese Zeilen sowie die Schnelligkeit, mit der eine erste Ausstellung als Gegendemonstration zu der der ›Neuen Künstlervereinigung‹ realisiert wurde, verraten, daß der ›Blaue Reiter‹ nicht als Folge der letzten Auseinandersetzung betrachtet werden darf. Wie wir aus der dokumentarischen Neuausgabe von K. Lankheit (1965) wissen, der wir im wesentlichen folgen, hatte Kandinsky bereits im Juni 1911 den Plan zu einem Jahrbuch gefaßt. Es sollte die geistigen Strömungen der Zeit so publizieren, wie der Künstler sie sah. An Vorarbeiten dazu hatte es nicht gefehlt. 1910 war sein Manuskript ›Über das Geistige in der Kunst‹ vollendet worden, ohne damals einen Verleger zu finden. Es erschien erst Ende 1911 im Verlag R. Piper, 1912 bereits in einer zweiten Auflage. Ohne durch die anfänglichen Absagen entmutigt worden zu sein, hatte Kandinsky sogleich eine weitere Veröffentlichung geplant. Die Zeit schien ihm reif, die »Weisung auf ein großes Ziel« verlangte Diskussion in der Öffentlichkeit. Ein Almanach, ein bebildertes Jahrbuch mit einem Überblick über die aktuelle Szene schien ihm dazu geeigneter als ein neues Buch. Nur Künstler und nicht nur bildende sollten sich daran beteiligen. Daß er eine solche Veröffentlichung zugleich als Möglichkeit ansah, bestimmte Ideen seines letzten Manuskriptes weiterzuentwickeln, ist offensichtlich. Der im ›Blauen Reiter‹

KANDINSKY

DER BLAUE REITER

ÜBER DAS GEISTIGE IN DER KUNST

28 W. Kandinsky, Titelholzschnitt zum
    Katalog der Ersten Ausstellung. 1911

29 W. Kandinsky, ›Über das Geistige
    in der Kunst‹. München 1911

veröffentlichte Artikel ›Über die Formfrage‹ basiert auf den
Texten von 1910.

Ein am 19. 6. 1911 datiertes Schreiben an Franz Marc fixiert
Kandinskys Vorstellungen sehr genau und darf als Geburts-
urkunde des ›Blauen Reiters‹ gelten: »Nun! ich habe einen neuen
Plan. Piper muß Verlag besorgen und wir beide – die Redakteure sein. Eine Art Almanach (Jahres-) mit Reproduktionen
und Artikeln ... und Chronik!! d. h. Berichte über Ausstellungen – Kritik, nur von Künstlern stammend. In dem Buch muß
sich das ganze Jahr spiegeln, und eine Kette zur Vergangenheit
und ein Strahl in die Zukunft müssen diesem Spiegel das volle
Leben geben ... Da bringen wir einen Ägypter neben einem
kleinen Zeh (Name zweier Kinder mit zeichnerischer Begabung,
d. V.) einen Chinesen neben Rousseau, ein Volksblatt neben
Picasso und dergleichen noch viel mehr! ...« Franz Marc griff
den Plan begeistert auf. Reinhard Piper, den er seit 1909 kannte,
hatte sich bei den fortschrittlichen Malern als Herausgeber der
Entgegnung auf die Schrift Carl Vinnens einen Namen gemacht,

»Es war fast selbstverständlich, daß Marc mir dieses Buch antrug«, berichtete er in seinen Erinnerungen. Er unterstützte den Fortgang der Arbeit nach Kräften, lieh Klischees aus und steuerte Originale aus seiner graphischen Sammlung bei. Er wandte sich allerdings energisch gegen die Bezeichnung ›Almanach‹ und setzte sich damit durch, wenn auch in letzter Minute. Lankheit hat nachgewiesen, daß Kandinsky die ursprüngliche Bezeichnung erst kurz vor dem Druck aus dem Titelholzschnitt entfernt hat.

Schwierig war die Frage der Finanzierung. Mit Rücksicht auf seinen noch jungen Verlag verstand sich Piper zur Herausgabe nur gegen eine finanzielle Garantie der beiden Herausgeber, die die alleinige Verantwortung für den Text trugen: »Die Herren Franz Marc und W. Kandinsky haften gesamtverbindlich für die Deckung der Kosten.« Die erforderliche Summe von 3000 Mark war schwer zu beschaffen, zumal Hugo von Tschudi, auf dessen Fürsprache man gebaut hatte, schwer erkrankte. Ein anderer trat an seine Stelle, Bernhard Koehler, der Onkel von August Macke, Mäzen von Franz Marc und steter Helfer der jungen Künstler: »... Ohne seine hilfreiche Hand wäre der ›Blaue Reiter‹ eine schöne Utopie geblieben ...« (Kandinsky).

Ein Brief vom 1. 9. 1911 bezeugt die Eile, mit der Kandinsky seine Idee verfolgte: »... Ich dagegen habe Hartmann geschrieben, von unserer Union berichtet und ihm den Titel eines ›Bevollmächtigten Mitarbeiters für Rußland‹ verliehen ... Auch an Le Fauconnier schreibe ich ... Bei Hartmann habe ich einen Artikel über die Armenische Musik bestellt und eine musikalische Korrespondenz aus Rußland ... Schönberg muß über deutsche Musik schreiben. Le Fauconnier muß einen Franzosen besorgen. Musik und Malerei werden schon ordentlich beleuchtet. Etwas Noten sollten auch drin sein. Schönberg hat ja z. B. Lieder. Man könnt evtl. Pechstein auffordern, eine Berliner Korrespondenz zu schreiben: wenig verantwortlich – und dabei prüfen wir seine Kräfte ... Wir müssen eben zeigen, daß überall was vorkommt.«

Zwar war die Bezeichnung ›Almanach‹ aufgegeben worden, doch nicht der Gedanke an eine sich periodisch wiederholende Publikation. Selbst der Verlagsvertrag nimmt darauf Bezug. Allerdings fürchteten die beiden Redakteure zugleich den sich

30–33 Wassily Kandinsky, Entwürfe für den Umschlag des Almanachs ›Der Blaue Reiter‹. 1911

unvermeidlich abzeichnenden Terminzwang – schon jetzt war ihre von verständlicher Eile diktierte Arbeitsweise kaum durchzuhalten. So spricht die Voranzeige nur noch von einem »in zwangloser Folge erscheinendem Organ«. Mitte Mai 1912 wurde der Band ausgeliefert. Die Auflage hatte sich durch den unerwarteten Erfolg der Subskription auf 1200 Exemplare erhöht. Bereits 1913 bereitete man die zweite Auflage vor, Piper hatte den Satz vorsichtshalber stehen lassen. Eine Textänderung war dadurch zwar nicht möglich, doch fügte man einen halben Bogen hinzu. Damit war Platz für die beiden Vorworte geschaffen, die neu verfaßt worden waren (vgl. S. 123). Zugleich konnte die Widmung an den mittlerweile verstorbenen Hugo von Tschudi auf die rechte Seite gerückt und einige Klischees ausgetauscht werden. Die Auslieferung dürfte im Frühsommer 1914 erfolgt sein. Parallel dazu liefen bereits die Vorarbeiten für ein zweites Heft, über dessen geplanten Inhalt Lankheit interessante Fakten veröffentlicht hat. Es ist nicht mehr erschienen.

Die Vielseitigkeit des Inhalts mag auf den ersten Blick verwirrend erscheinen (vgl. S. 131). Er verrät jedoch nicht nur die auf

ein gemeinsames Ziel ausgerichtete geistige Haltung der Mitarbeiter – wobei individuelle Interpretationen selbstverständlich sind –, sondern mehr noch deren ausgeprägtes Gefühl für ihre Rolle als Wegbereiter einer neuen Epoche geistiger Kultur, wobei die bildende Kunst nachdrücklich in den Kontext zu den anderen freien Künsten gestellt wird. Auch die ursprüngliche Idee einer Chronik ist beibehalten, nun allerdings in Form von Situationsberichten. Ebenso bedeutsam wie der Text sind die dem Band beigegebenen Illustrationen. Sie zeigen nicht nur Werke von Mitarbeitern oder deren Freunden – Paul Klee ist z. B. schon mit einer Zeichnung vertreten –, sondern dokumentieren die Breite des von der Redaktion behandelten Themas. Wir entdecken einen mittelalterlichen Grabstein oder eine Seidenstickerei ebenso wie eine Benin-Skulptur oder ein etruskisches Relief, malaiische Hölzer wie mexikanische Arbeiten oder ägyptische Schattenspielfiguren, deutsche Holzschnitte des 16. Jahrhunderts wie japanische Zeichnungen oder chinesische Malerei. El Greco ist dort ebenso vertreten wie van Gogh und Matisse, ja selbst Werke von Mueller, Heckel und Nolde sind abgebildet. Aber der

34 Paul Klee, Steinhauer. 1910 (Nr. 74)
    Abgebildet im Almanach ›Der Blaue Reiter‹

Bildteil greift über Kunst und Ethnologie hinaus: Kinderzeichnungen sind ebenso zu finden wie bayrische Votivblätter und Hinterglasmalerei oder Werke russischer Volkskunst. Gerade sie verdeutlichen den auch von den Expressionisten zitierten Urgrund des Naiven und Primitiven als Muster ausdruckserfüllten Schaffens ohne Belastung durch künstlerische Tradition – und der Bogen wird dann kühn bis in den Bezirk antinaturalistischer Bewegungen in Frankreich, Deutschland und Rußland gezogen. Kandinsky hat in seinem Aufsatz ›Zur Formfrage‹ Hinweise auf ein mögliches Textverständnis durch den unvoreingenommenen Leser gegeben: wenn er imstande ist, »sich seiner Wünsche, seiner Gedanken, seiner Gefühle zeitweise zu entledigen, und dann das Buch durchblättert, von einem Votivbild zu Delaunay übergeht und weiter von einem Cézanne zu einem russischen Volksblatt, von einer Maske zu Picasso, von einem Glasbild zu Kubin usw. usw., so wird seine Seele viele Vibrationen erleben und in das Gebiet der Kunst eintreten ... Und diese Vibrationen und das aus ihnen entsprungene Plus werden eine Seelenbereicherung sein, die durch kein anderes Mittel als durch die Kunst zu erreichen ist. Später kann der Leser mit dem Künstler zu objektiven Betrachtungen, zur wissenschaftlichen Analyse übergehen. Hier findet er dann, daß die ... Beispiele einem inneren Rufe

35 Alfred Kubin, Der Fischer. 1911/12. Abgebildet im Almanach ›Der Blaue Reiter‹

36 Ägyptische Schattenspielfigur.
Abgebildet im Almanach
›Der Blaue Reiter‹

gehorchen – Komposition, daß sie alle auf einer inneren Basis
stehen – Konstruktion.«

Die Zuordnung der verschiedenen Beiträge zu dem auch hier
anklingenden Gesamtplan des Sammelbandes fällt nicht schwer.
Ein Teil dient der allgemeinen Übersicht über die europäische
Situation um 1911. Wenn Franz Marc in Parenthese zu dem
französischen Begriff ›Fauves‹ über die deutschen ›Wilden‹ berichtet, dann beschränkt er sich allerdings nicht auf die von ihm
selbst teilweise miterlebten Wandlungen der ›Neuen Künstlervereinigung‹. Zwar steht deren Geschichte wie der befreiende
Einfluß der Franzosen und Russen im Mittelpunkt, in der Erkenntnis gipfelnd, »daß die Erneuerung nicht formal sein darf,
sondern eine Neugeburt im Denken ist«. Er berichtet auch über
die »wohlbekannte und vielbeschriebene« Dresdener ›Brücke‹
und die (von Pechstein mitgegründete, gegen die deutsche Freilichtmalerei gerichtete) ›Neue Secession‹ in Berlin als Ursprungs-
quelle eines Stromes, »der alles Mögliche und Unmögliche mit

37 Japanische Zeichnung.
Abgebildet im Almanach
›Der Blaue Reiter‹

sich führt, im Vertrauen auf seine reinigende Kraft«, er verweist auf die »trotzige Freiheit dieser Bewegung«, aber man
spürt doch, um wieviel näher ihm die west-östlichen Tendenzen
der süddeutschen Szene standen. Burljuks Aufsatz über die russischen ›Wilden‹ bezeugt eindringlich die Enge, in die sich die
junge russische Künstlergeneration durch das Gewicht der traditionellen Richtungen und Verbände gedrängt sah, wohl ein
Grund mit, warum die besten Kräfte die Kontakte zum Westen
suchten. Er gipfelt in der Aufforderung, »den dunklen Vorhang
zurückzuschlagen und das Fenster der echten Kunst zu öffnen«.
Inwieweit das möglich gewesen ist, bezeugt die revolutionäre
Geschichte der russischen Entwicklung bis zum Beginn der zwan-
ziger Jahre, deren ganzes Gewicht erst in jüngerer Zeit begriffen und gewertet worden ist. Roger Allard trug eine als Interpretation wie als Rechtfertigung angelegte Analyse des Kubismus bei, der gerade eben die Gemüter bewegte. Er betonte dabei
konsequent das Primat der Form als Element der Ordnung und

wendete sich damit zwangsläufig gegen jene »mystisch-innerliche Konstruktion«, die Franz Marc als Ziel der neuen Bewegung ansprach. Hier ist dann auch die Untersuchung der Kompositionsmittel bei Delaunay anzuschließen, dessen Schaffen die Münchener Künstler schon damals stark beeindruckte und später erheblich beeinflußt hat.

August Mackes Skriptum zum Thema ›Masken‹ wirkt eher wie eine dichterische Deutung als eine analytische Untersuchung. Er verfolgt den inneren Bezug zwischen Idee und Form, der sich ebenso in den Werken der sog. ›Primitiven‹, in den Kultbildern, den Werken der Naiven wie im Schaffen der eigenen Zeit offenbart: »Unfaßbare Ideen äußern sich in faßbaren Formen...« Es deckt sich mit den Anschauungen der Expressionisten, wenn Macke darauf verweist, daß die Gelehrten geringschätzig die »Kunstformen primitiver Völker ins Ethnologische oder Kunstgewerbliche« degradieren, während der Künstler in ihnen »starke Äußerungen starken Lebens« erkennt.

Kandinskys Beiträge nehmen seiner Bedeutung im Freundeskreis entsprechend den breitesten Raum ein. Sie beziehen sich nicht allein auf die Formfrage, wo er einen ebenso scharfsinnigen wie subjektiven und zeitaktuellen Untersuchungsbefund liefert, sondern mit demselben Nachdruck auf den Bereich ›Musik – Malerei‹, sein schon wiederholt angeklungenes Interessengebiet. Arnold Schönberg, ihm befreundeter und auch als Maler hervorgetretener Meister der neuen Musik, Begründer der Zwölftontechnik und der russische Komponist, Pianist und Maler Thomas von Hartmann waren Partner, mit denen sich die Probleme klären und Ansätze zu Lösungen erarbeiten ließen. Auch der Freund und Mäzen der Avantgarde, der Mediziner Dr. N. Kulbin aus Petersburg gehört hierher.

Schönbergs Text ist erwartungsgemäß Kandinskys Überlegungen verwandt; beide Künstler dürften sich in diesen Jahren gegenseitig angeregt und beeinflußt haben. So wie für ihn als Musiker ein Text nur wenig für das wahre Verständnis von Musik bedeutet, sieht er »mit großer Freude« als Parallelen in der bildenden Kunst jene Werke der Malerei, »denen der stoffliche äußere Gegenstand kaum mehr als ein Anlaß ist, in Farben und

38 Arnold Schönberg, Selbstporträt. 1911
   Abgebildet im Almanach ›Der Blaue Reiter‹

Formen zu phantasieren und sich so auszudrücken, wie sich bisher nur Musiker ausdrückten«.

Ähnliche Analogien enthält auch Kulbins Artikel über die freie Musik. Er kommt zu dem Schluß, daß man durch eine engere als durch traditionelle Regeln bestimmte Vereinigung von Tönen, deren Methode er belegt, zu musikalischen Bildern gelangt, »die aus besonderen Farbflächen bestehen, welche sich in laufende Harmonie verschmelzen, der neuen Malerei ähnlich« – »farbige Musik«.

Kandinsky und Th. von Hartmann hatten bereits seit 1909 gemeinsame Interessen verknüpft. Hartmanns Aufsatz ›Über die Anarchie in der Musik‹ geht sicher mit auf die seither fortgesetzten Gespräche zwischen beiden Künstlern zurück. Wieder wird als Ausgangspunkt die »innere Notwendigkeit« betont und das »Wesen des Schönen im Werk« als »das Korrespondieren der Ausdrucksmittel mit der inneren Notwendigkeit« definiert, Gedanken, die auch Kandinsky hätte äußern können. Die Zusammenarbeit setzte sich in des Malers Bühnenkomposition ›Der gelbe Klang‹ fort, einem Werk, das Hartmann sehr viel später als »das größte Wagnis in der Bühnenkunst bis in unsere Tage« bezeichnet hat. Er bearbeitete den musikalischen Part des Stückes, das in den Wirren der russischen Revolution verschwand und erst 1956 wieder aufgegriffen wurde.

Unter diesem Aspekt wird nun die Untersuchung Sabanejews, eines russischen Komponisten und Musikschriftstellers zu Skrjabins ›Prometheus‹ in einen deutlichen Bezug zu Kandinskys Ideen gerückt, geht es doch darum, Musik mit dem Wechsel farbiger Beleuchtung zu synchronisieren. »Im ›Prometheus‹ ist die Musik von der Farbenharmonie beinahe untrennbar ... Jede Tonart hat eine korrespondierende Farbe; jeder Harmoniewechsel einen korrespondierenden Farbwechsel.« Noch einmal die Parallelität von Malerei und Musik, nun aber zugleich unter dem Gesichtspunkt der »Wiedervereinigung« der »sämtlichen zerstreuten Künste« unter dem »Mysterium der tragenden Grundidee«.

Daß Kandinskys Beiträge ›Über Bühnenkomposition‹ (Voraussetzung für sein Bühnenwerk) und ›Der gelbe Klang‹ den Band ›Der Blaue Reiter‹ beschließen, ist logisch. Hier versucht er selbst die Synthese, die als eine lockende Vision bereits in der deutschen Romantik vorkommt und die ein Jahrhundert später wohl theoretisch zu begründen, jedoch nicht zu realisieren war. Kandinsky hat sich um ihre Verwirklichung noch Jahre später eindringlich bemüht.

39 Franz Marc, Der Stier. 1911
    Abgebildet im Almanach ›Der Blaue Reiter‹

Wir dürfen über den teilweise kühnen Ansätzen und Folgerungen der Texte nicht das Erscheinungsjahr 1911 vergessen. Es
bezeichnet den Anfang einer stürmischen Entwicklung, die bis
1914 dauern sollte, der Band ist daher als ein Auftakt, nicht als
Resümee zu verstehen. Daraus ergeben sich auch die Verschiedenheit der Anschauungen, die sich bei aller Gemeinsamkeit des
Zieles, eben des ›Geistigen in der Kunst‹ bei dessen Verwirklichung letztlich doch ergaben. 1911 war die Theorie der Praxis
noch ein gutes Stück voraus, schon um 1912/13 hatten sich die
gangbaren Wege sehr viel deutlicher abgezeichnet. Das gilt nicht
zuletzt für die schon in dieser Veröffentlichung als kaum verein-
bar hervortretenden Pole der deutschen und der französischen
Entwicklung: Form und Gehalt – beidesmal jedoch ›Geistiges‹.
Der Weg der Franzosen – seien es nun Fauves oder Kubisten –
wurde noch immer von der Mahnung Cézannes bestimmt:

53

»Kunst ist eine Harmonie parallel zur Natur« – Kunst als ordnender Oberbau, der Farbe und Form als kompositionelle Mittel in den Dienst der neuen Bildrealität stellt, als Ausdruck innerer Ordnung und konstruktiver Harmonie.

Franz Marc vertrat die deutsche Gegenposition. Für ihn hieß Befreiung vom Naturalismus erwachendes Bewußtsein von einer größeren Seinszugehörigkeit – im Grunde noch ein Erbe der deutschen Romantik, die Erkenntnis jener »mystisch-innerlichen Konstruktion des Weltbildes«, das E. L. Kirchner als »das große Geheimnis« bezeichnete. Aufgabe der Künstler war es, »durch ihre Arbeit ihrer Zeit Symbole zu schaffen, die auf die Altäre der kommenden geistigen Religionen gehören«. Aus dieser Blickrichtung gewinnt der eben geschilderte Versuch eine besondere Aktualität, sich mit den musikalischen Eigenschaften des bildnerischen Vokabulars (und umgekehrt) zu befassen, Beziehungen zwischen Tönen und visuellen Klängen herzustellen und so eine Harmonielehre der Farben und Formen zu entwickeln, die eine kompositionelle Anwendung ähnlich wie in der Musik gestattete. Eine solche Ablösung der Farbe von der Dingwelt beeinträchtigte ihren Empfindungscharakter nicht, sondern betonte ihn, da sie ihn vom Ballast des Inhaltlichen und Allegorischen befreite. Damit erhielt das Expressive hier eine andere Tonart als im Norden, was eine Verständigung zwischen den Künstlern erschwerte.

Beim Erscheinen des Bandes lag die erste Ausstellung der Redaktion ›Der Blaue Reiter‹ fast ein halbes Jahr zurück. Wir kennen die Gründe für die Eile, die auch den Verleger Piper bewogen, die Herausgabe des Buches ›Über das Geistige in der Kunst‹ so zu beschleunigen, daß wenigstens diese programmatische Schrift gleichzeitig mit dem kurzgefaßten Ausstellungskatalog vorlag.

Die Namen der eingeladenen Künstler waren erwartungsgemäß mit den uns bekannten aus dem Kreise um Kandinsky identisch. Einige kamen neu hinzu, so daß das Verzeichnis aufführt: Albert Bloch, einen bis 1921 in Europa lebenden Amerikaner, die Brüder David und Wladimir Burljuk, den Krefelder Heinrich Campendonk, den Marc 1911 zur Übersiedlung nach Sindelsdorf, an seinen Wohnsitz, veranlaßt hatte, Robert Delaunay,

E. Epstein, Kandinsky, August Macke, Franz Marc, Gabriele Münter, den Schweizer Jean Bloé Niestlé, der, seit 1906 mit Marc bekannt, seit 1910 ebenfalls in Sindelsdorf lebte, schließlich noch den Komponisten Arnold Schönberg als Maler. Auch der ›Vater der Naiven‹, Henri Rousseau fehlte nicht, dazu hatte man zum Gedächtnis an den kurz zuvor verstorbenen Prager Freund Eugen Kahler einige seiner Arbeiten ausgestellt. Alle Künstler repräsentierten den von Kandinsky in seiner knappen Einleitung formulierten Gedanken: nicht die Betonung des Gleichartigen, sondern die Hervorhebung der Individualität Gleichgesinnter bei der Verfolgung des gemeinsamen Zieles zwischen den beiden Polen einer künftigen Kunst, der ›großen Abstraktion‹ und der ›großen Realistik‹, hier angedeutet durch die beiden Antipoden Robert Delaunay und Henri Rousseau.

Von dieser ersten Demonstration der eigenen Kräfte und Anschauungen war nicht der endgültige Durchbruch zur abstrakten Malerei zu erwarten. Ein solches Vorhaben lag selbst außerhalb der Bestrebungen Kandinskys, der damals bekanntlich die abstrakte Form noch als einen der vielen möglichen Grenzpunkte in der Kunst sah, wie durch die Auswahl seiner eigenen Werke bestätigt wird. Er zeigte die von der Jury abgelehnte *Komposition V* (Abb. 26), eine *Improvisation Nr. 22* sowie eine *Impression Moskau* (Abb. 40). Die drei Gemälde vertreten beispielhaft jene drei ›Ursprungsquellen‹, die der Maler in seiner Schrift ›Über das Geistige in der Kunst‹ als Grundlagen einer zeitgenössischen Malerei zitierte:

1. direkter Eindruck von der ›äußeren Natur‹, welcher in einer zeichnerisch-malerischen Form zum Ausdruck kommt. Diese Blätter nenne ich ›Impressionen‹;

2. hauptsächlich unbewußte, größtenteils plötzlich entstandene Ausdrücke der Vorgänge inneren Charakters, also Eindrücke von der ›inneren Natur‹. Diese Art nenne ich ›Improvisationen‹;

3. auf ähnliche Art (aber ganz besonders langsam) sich in mir bildende Ausdrücke, welche lange und beinahe pedantisch nach den ersten Entwürfen von mir geprüft und ausgearbeitet werden. Diese Art Bilder nenne ich ›Kompositionen‹.

40   Wassily Kandinsky, Impression 2 (Moskau). 1911, 114

Von Robert Delaunay waren neben einer Zeichnung vier Gemälde ausgestellt; sie müssen einen ausgesprochenen Schwerpunkt bedeutet haben: *St. Séverin* (1909, Abb. 41), *Die Stadt*
(1910), *Der Turm* (1911 – eine der wichtigsten Fassungen seines
Hauptthemas ›Eiffelturm‹) sowie *Die Stadt* (1911, Abb. 42).
Die künstlerische Problematik dieser Bilder war ausgesprochen
aktuell. Mit der 1909 begonnenen Serie ›St. Séverin‹ hatte sich
der Künstler erstmals an die Übersetzung gotischer Raumarchi-
tektur in abstrakte Bildrhythmen gewagt, noch ganz analytisch
und demgemäß nahe am Vorbild. Die zunehmende Deformierung beruhte auf dem Wunsch, Bewegung und innere Gesetzlichkeit deutlicher sichtbar zu machen und damit das Bild vom
eigentlichen Motiv abzulösen. Mit der 1910 einsetzenden Reihe
der ›Eiffeltürme‹ war ein entscheidender Schritt vorwärts getan.
Delaunay filterte aus der Zersplitterung der äußeren Form die

56

expressive Vision, jenen ›Dynamismus‹, den soeben die italienischen Futuristen als das »Absolutum der Modernität« verkünde-
ten. Nun wurde auch die zuvor gedämpfte Farbe heller. Sie be-
gann im selben Sinne wie die Form, Bewegung und Rhythmus
aus sich allein heraus zu formen. Das alles bewegte sich schon
hart an der Grenze zum Abstrakten, verriet aber gleichwohl ein
ausgeprägtes Ordnungsgefüge. Man kann verstehen, wie tief
solche Werke auf die empfänglichen Gemüter der süddeutschen
Maler gewirkt haben, zumal die Verselbständigung des Mediums
›Farbe‹ – jenes später von Guillaume Apollinaire ›orphisch‹ ge-
nannte Bildelement.

Hatten Kandinskys eben erwähnte Arbeiten neben denen
Delaunays die entscheidenden Ausgangspositionen für die kommende Entwicklung markiert, so zeigten Marcs vier Gemälde,
die *Gelbe Kuh* (Ft. 6), *Die Blauen Pferde*, *Landschaft* und *Rehe*
Übergangslösungen. Noch waren die Schlacken der Naturnähe
nicht abgestreift, langsam erst wurde Farbe zur Steigerung des
Gehalts wie als Bildrhythmus eingesetzt. Sie forderte eine Über-
prüfung der gegenständlichen Formen heraus, deren materielle
Schwere einstweilen dem spirituellen Klange noch entgegen-
wirkte.

Macke hatte drei Arbeiten eingeliefert, darunter ein Gemälde
Der Sturm (Ft. 7), in dem sich sein Zugehörigkeitsgefühl zum
Kreis des ›Blauen Reiters‹ ein wenig zu pointiert äußerte. In seiner abstrakt-symbolistischen Auffassung wie in der erkennbaren
formalen Abhängigkeit von Kandinsky und Marc wirkt es in
dem sonst so unabhängigen Œuvre wie ein Fremdkörper. Die bei
aller Freundschaft zu Marc sonst kritische Distanz zu den Zielen
des ›Blauen Reiters‹ – er hatte Marc mehrfach davor gewarnt,
»als blauer Reiter zu sehr an das Geistige zu denken« – basiert
auf der Erkenntnis, daß das Streben nach kosmischen Bezügen,
nach mystischen Klängen am eigentlichen Problem seiner Kunst,
der visuellen Poesie und der Gesetzlichkeit von Farbe und Form
vorbeiführte. Ihm stand Delaunays Wegbestimmung näher; ein
Bild wie der *Sturm* ist ein Einzelfall geblieben.

Gemessen an der Bedeutung ihrer Werke zur Bestimmung der
aktuellen künstlerischen Situation treten die anderen Maler ein

42 Robert Delaunay, Die Stadt. 1911

41 Robert Delaunay, St Séverin. 1909
    Abgebildet im Almanach ›Der Blaue Reiter‹

wenig hinter den genannten zurück. Schönbergs visionäre Porträts, Wladimir Burljuks kubistische Rhythmen, die ebenfalls weniger auf Gesetzlichkeit als auf Klang zielen, Münters naivfarbige Kompositionen, Niestlés Naturseligkeit wirken wie Randerscheinungen, mitgerissen vom großen Strom der Zeit, doch seine Richtung nicht bestimmend.

Die Wirkung der Ausstellung blieb nicht auf München beschränkt. Sie wurde anschließend im Gereonsclub in Köln gezeigt, wo sie die sog. Rheinischen Expressionisten beeindruckte, die ohnehin durch Macke und Campendonk in Verbindung mit der Münchener Szene standen; Herwarth Walden forderte sie überraschend für Berlin an, wo er mit ihr seine ›Sturm-Galerie‹ eröffnete. Er fügte dort noch Arbeiten von Jawlensky, Klee und Kubin hinzu. Anschließend war sie in Bremen in den Vereinigten Werkstätten für Kunst im Handwerk zu sehen, im Sommer hing sie bei Osthaus im Folkwang-Museum, im Herbst im Salon Goldschmidt in Frankfurt. Vor allem die Berliner Ausstellung

43 Franz Marc, Weidende Pferde IV (Die roten Pferde). 1911

44 Franz Marc, Ruhende Pferde. 1913

wurde vom Kreis des ›Blauen Reiters‹ sehr ernst genommen.
Man bemühte sich, die Qualität noch zu verbessern und neue
Leihgaben zu gewinnen, »... Berlin ist wichtig genug dazu«
(F. Marc 1. 3. 1912).

Während die erste Ausstellung ihren Weg durch Deutschland
nahm, waren die Künstler bereits bei der Vorbereitung der zweiten. Sie fand vom 12. Februar bis April 1912 statt, allerdings
nicht mehr bei Thannhauser, sondern in der Kunsthandlung
Hans Goltz. Diesmal verzichtete man auf Gemälde. Der Katalog
nennt die Ausstellung ›Schwarz-weiß‹; allerdings waren einige
Künstler nicht mit Zeichnungen oder Druckgraphik, sondern auch
mit Aquarellen vertreten. Marc und Kandinsky hatten sie von
Beginn an breiter geplant, gingen jedoch, wohl noch in Erinne-
rung an die Zeiten der ›Neuen Künstlervereinigung‹, bei der
Auswahl der Teilnehmer und Werke ziemlich diktatorisch vor.
»Marc und ich nahmen alles, was wir frei wählten, ohne uns um
irgendwelche Meinungen und Wünsche zu kümmern.« Die Beteiligung war wieder international, der französische Beitrag be-
deutend wie stets: Georges Braque, Robert Delaunay, Roger de
la Fresnaye, André Derain, Pablo Picasso, Robert Lotiron und

45 Franz Marc, Schlafende Hirtin. 1912

Maurice Vlaminck. Aus Deutschland nahmen außer den in und um München Lebenden: Albert Bloch, Maria Franck-Marc, Wassily Kandinsky, Paul Klee, Franz Marc, Gabriele Münter, Alfred Kubin, die Künstler der ›Brücke‹ Heckel, Kirchner, Mueller und Pechstein, nicht jedoch Schmidt-Rottluff teil. Hinzu kamen Emil Nolde, Georg Tappert, der Westfale Morgner sowie der in Berlin ansässige Moriz Melzer. Aus der Schweiz beteiligten sich Hans Arp, Walter Helbig, Wilhelm Gimmi und Oscar Lüthy, Rußland glänzte durch seine Avantgarde: Natalia Gontscharowa, Michail Larionoff und Kasimir Malewitsch.

Es ist nicht leicht, die Ausstellung nachträglich nach den dürftigen Katalogangaben und den kleinen Abbildungen zu bewerten. Die 12 Aquarelle von Kandinsky dürften einen sehr nachdrücklichen Akzent gesetzt haben. Sie entstammen jener Schaffensperiode, in der sich das Linienwerk zusehends zur freien Ausdrucksarabeske wandelt, die traditionelle Perspektive aufgegeben wurde, um das Bild in kosmischer Bezogenheit anzu-

46 Wassily Kandinsky, Komposition II. 1911

siedeln, als kompliziertes farbiges Klangwerk in irrationalen Räumen.

Daß Klee mit 17 Zeichnungen vertreten ist, scheint zu diesem Zeitpunkt fast selbstverständlich. Klee und Kandinsky lernten sich 1912 kennen, als der zeitweilig bei Klee wohnende Louis Moilliet Bilder des Russen aus dessen Atelier mitbrachte, »Bilder ohne Gegenstand … Sehr merkwürdige Bilder« (Klee). Die Fäden verknüpften sich. Kandinsky interessierte sich seinerseits für Klees skurril-hintergründige Zeichenschrift, deren Polyphonie und Rhythmik ihre künftige Rolle als Wirkkraft zwischen dem Unbewußten und dem Bild als »Gleichnis zur Totalität des Ganzen« bereits erahnen lassen, zögernd zwar noch, Grenzen erspürend, den Urbereich des Bildnerischen Schritt für Schritt abtastend. Man traf sich, verabredete »auf der Trambahn nach Hause fahrend, weitere Pflege von Beziehungen. Im Laufe des Winters schloß ich mich dann seinem Blauen Reiter an« (Klee, Tagebücher 1912. 903). Das ein wenig zurückhaltende Engagement Klees beruhte auf einer verwandten Einstellung, aus der heraus er auch die Ideen des Almanachs teilte: »Es gibt nämlich noch Uranfänge von Kunst, wie man sie eher in ethnographischen Sammlungen findet oder daheim in seiner Kinderstube... Wenn wirklich ... sämtliche Läufe der gestrigen Tradition versanden ... dann ist der große Augenblick gekommen, und ich begrüße sie, die an der nun kommenden Reformation mitarbeiten« (Klee, Tagebücher 1912. 905).

Neben diesen ›Münchenern‹ den Westfalen Wilhelm Morgner zu finden, Schüler des ebenfalls ausgestellten Georg Tappert, zudem mit 16 Arbeiten, mag erstaunen. Doch sind in Morgners damaliger Suche nach dramatischer Stilisierung der Form, die immer wieder in rhythmisch-ornamentaler Schönlinigkeit mündet (ein solches Blatt ist abgebildet), bestimmte Anklänge an Ideen des ›Blauen Reiters‹ denkbar.

Die Beteiligung der ›Brücke‹-Maler und Emil Noldes geht auf die Kontakte zwischen Franz Marc und die in Berlin lebenden Expressionisten 1911/12 zurück. Er hatte ihren »ungeheuren, quellenden Reichtum« gepriesen, »der zu unseren Ideen nicht weniger gehört als die Ideen der Stillen im Lande«, sah ihre »durchwegs sehr starken Sachen« als notwendige Ergänzung zur süddeutschen Situation. Vor allem Nolde muß ihn ungewöhnlich fasziniert haben. Kandinsky blieb reserviert. Er mochte sich mit der Heftigkeit der Malweise, dem direkten Angehen der Probleme, der den Franzosen gegenüber geringeren Subtilität von Farben und Formen in den expressionistischen Werken nicht identifizieren und blieb bei dem Urteil, das er schon bei Entstehung des Sammelbandes gefällt hatte: »*Ausstellen* muß man solche Sachen. Sie aber im Dokument unserer heutigen Kunst (und das soll unser Buch werden) zu verewigen, als einigermaßen entscheidende, dirigierende Kraft – ist in meinen Augen nicht richtig. So wäre ich jedenfalls gegen *große* Reproduktionen ... die kleine Reproduktion heißt: *auch* das wird gemacht, die große: *das* wird gemacht.«

So nahmen die Expressionisten zwar mit einer umfänglichen Auswahl ihrer graphischen Arbeiten an der Schwarz-weiß-Ausstellung teil, doch der ursprünglich vorgesehene Beitrag Pechsteins zum Sammelband erschien nicht. Daß gerade dieser Künst-

Franz Marc, Tiger. 1912

Gabriele Münter, Hof mit Wäsche. 1909

2 Wassily Kandinsky, Arabischer Friedhof. 1909, 85

4 Wassily Kandinsky, Improvisation 3, 1909

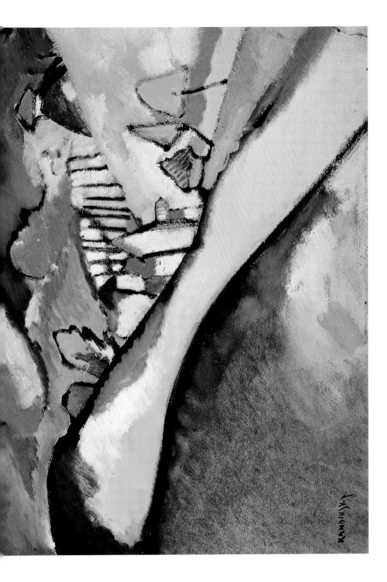

Wassily Kandinsky, Landschaft – Dunaburg bei Murnau. 1910

6   Franz Marc, Gelbe Kuh. 1911

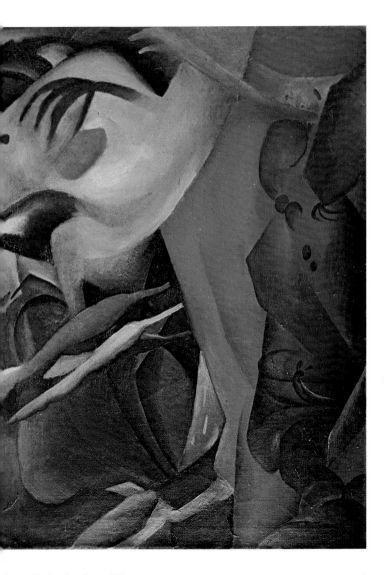

August Macke, Der Sturm. 1911

Wassily Kandinsky, Lyrisches. 1911

◁

8 Wassily Kandinsky, Komposition IV. 1911

10 Robert Delaunay, Eiffelturm. 1910/11

Robert Delaunay, Kreisformen. Sonne Nr. 1. 1912/13

Franz Marc, Getötetes Reh. 1913

12   Franz Marc, Katzen, rot und weiß. 1912

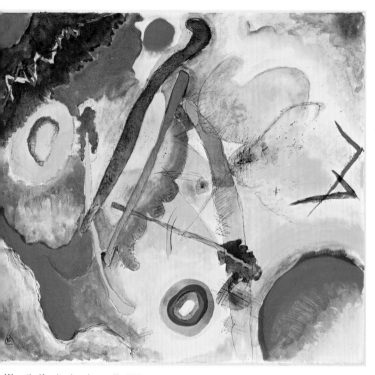

Wassily Kandinsky, Aquarell. 1913

14 Wassily Kandinsky, Landschaft mit der Kirche I. 1913

16 August Macke, Dame in grüner Jacke. 1913

August Macke, Markt in Tunis I. 1914

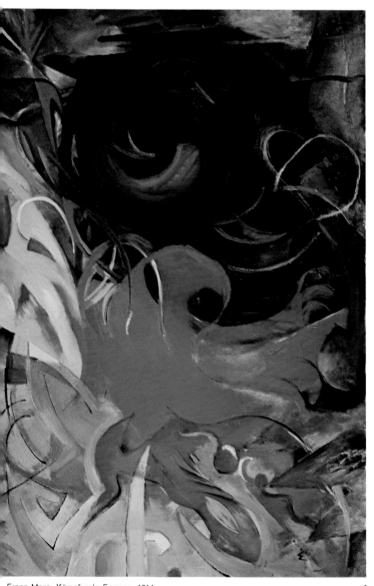

Franz Marc, Kämpfende Formen. 1914

◁

20 Franz Marc, Rehe im Walde II. 1914

ler mit mehr Arbeiten vertreten war als Heckel, Kirchner, Mueller oder Nolde, unterstreicht die Tatsache, daß man in ihm damals gern den ›typischen‹ Expressionisten sah. Die größere Konzilianz seiner Handschrift, die Neigung zu Schönlinig- und Farbigkeit erschreckte die Öffentlichkeit nicht so wie die konzessionslose Härte der anderen Maler.

Im ganzen betrachtet, lieferte die Ausstellung eine Übersicht über bestimmte Schwerpunkte der damals aktuellen Szene und wirkt darin wie ein erweiterter Bildteil zu den Texten des ›Blauen Reiters‹. Ein solch weitgespannter Überblick ist später nicht mehr zustande gekommen. Im Mai 1912 beteiligten sich die Künstler an der Sonderbundausstellung in Köln. Die von Marc und Kandinsky vorgesehene Gruppendemonstration war von der Ausstellungsleitung nicht akzeptiert worden. Auch wurden einige Bilder ausjuriert, was den in solchen Dingen besonders empfindlichen Kandinsky verärgerte. Trotz Mackes unermüdlicher Bemühungen um seine Freunde und eines recht bedeutenden Beitrags des ›Blauen Reiters‹ zu diesem internationalen Szenarium entsprach die erhoffte Wirkung den viel zu hoch gespannten Wünschen der Münchener nicht. So stellten sie trotz der Bedenken Mackes ihre refüsierten Bilder Herwarth Walden zur Verfügung, der sie im Juni im ›Sturm‹ zeigte. Dort fand ein Jahr später auch der ›Erste Deutsche Herbstsalon‹ statt, eine Parallele zu dem berühmten französischen ›Salon d'Automne‹. In seinen neuen Räumen an der Potsdamer Straße trug Walden 366 Werke der jungen europäischen Kunst zusammen; 85 Künstler aus 12 Ländern hatten sich beteiligt. Marc hatte unübersehbar als Ratgeber mitgewirkt, so daß die Auswahl sehr deutlich den Blickwinkel der süddeutschen Maler: Orphismus – Kubismus – Blauer Reiter verrät. Die Maler der ›Brücke‹ waren ebenfalls zur Teilnahme eingeladen, bis auf Pechstein, den Marc nun »Matisse salonfähig verflacht« nannte. Sie sagten allerdings mit dem Hinweis auf ihr Engagement beim ›Sonderbund‹ ab. So war der deutsche Standort durch die Münchener und die mit ihnen verbündeten Künstler bezeichnet: Kandinsky, Marc, Macke, Münter, Jawlensky, Kubin, Klee, Werefkin, dazu Feininger, zu dem Kubin die Verbindung hergestellt hatte. Aus dem Rheinland kamen Nauen und Campendonk. Bei den Franzosen fehlten die Fauves und einige Kubisten, darunter Braque und Picasso. Dafür waren Le Fauconnier, Gleizes, Metzinger und Laurencin geladen, schließlich auch die italienischen Futuristen. Daß Delaunay einen bedeutenden Platz einnahm, braucht nicht besonders erwähnt zu werden. Auswahl wie Verzicht markierten die neuen Schwerpunkte innerhalb der aktuellen internationalen Szene, in die sich der Kreis des ›Blauen Reiters‹ nun voll integriert sah. Niemand ahnte, daß der ›Herbstsalon‹ das letzte gemeinsame Unternehmen sein sollte.

Blicken wir von hier aus auf den Ausgangspunkt 1911 zurück, so wird deutlich, wie schnell sich in dieser kurzen Zeitspanne die europäische Kunstentwicklung aus einer relativen Breite der verschiedenen Ansätze in einigen Brennpunkten konzentriert hatte. Zu ihnen gehörten das expressive Ausdrucksverlangen wie das kubistische Ordnungsstreben als zwei der entscheidenden Positionen der europäischen Kunst. Nehmen wir das Expressive und das Konstruktive, obgleich im ersten Augenblick gegensätzlich scheinend, nicht zu eng, so deuteten beide Richtungen auf ein gemeinsames Ziel: die Erforschung und Freilegung der Innenwelt, die zwischen 1905 und 1914 nach und nach Gestalt gewann. Unterschwellige Kraftlinien zwischen diesen beiden Polen kreuzten sich in der Malerei der Deutschen und der Russen um den ›Blauen Reiter‹. Die Mehrzahl der Künstler teilte mit den Fauves (und damit anfangs auch mit den nord- und mitteldeutschen Expressionisten) das Bemühen um die Ausbildung einer imaginativen Gegenwirklichkeit aus dem leidenschaftlichen Angehen und Aufbrechen der Dingwelt. Im Verlauf dieses Prozesses ließen sich die bildnerischen Mittel bis zur reinen Farbe und reinen Linie kultivieren, ohne dadurch ihre neugewonnene Kraft und Freiheit einzubüßen. Dem Zerstörungsvorgang auf der dinglichen entsprach der Ordnungsvorgang auf der formalen Ebene: Ausdruck wurde mit abstrakten bildnerischen Mitteln erzielt. Darin aber trennten sich die Fauves wie die Münchener Künstler von den Expressionisten. Auch diese verzichteten in diesem Reifestadium auf die elementaren

47 Wassily Kandinsky, Improvisation 9. 1910

Eigenschaften von Farbe und Form, bändigten das Abbild zum
Symbol, um seinen Emotionswert zu steigern. Sie gelangten da-
mit ebenfalls zur Übereinstimmung von Bild und Ausdrucks-
begehren, ohne indes jemals die abstrakte Form als das reinste
Sinnzeichen zu verwenden. Ebenso eng wie die Bindungen des
›Blauen Reiters‹ an den Fauvismus waren gewisse Übereinstim-
mungen mit dem französischen Kubismus. Dieser hatte aus der
Analyse und Synthese gegenständlicher Zeichen die konstruktive

48 Wassily Kandinsky, Aquarell zu ›Skizze des Bildes mit weißem Rand‹.
1913

Bildform gefiltert und damit eine übergeordnete Gesetzmäßigkeit angesprochen. Innen- und Außenbild deckten sich in einer bildnerischen Formel. Es war allerdings nicht die Ausstrahlung dieses strengen Ordnungsprinzips, sondern des eng mit ihm zusammenhängenden Orphismus, der die bedeutenderen Münchener Maler beeinflußte. Beschränkte sich die Farbe im Kubismus auf fast monochrome, nur wenig modulierte, gedämpfte Töne, um die Priorität der Form nicht zu beschneiden, so basiert der Orphismus auf der Strahl- und Wirkkraft reiner Farben, die sich in der Konsequenz bildkonstruktiv als ebenbürtig erweisen. Nur Robert Delaunay hatte weitgehende Folgerungen aus diesem Prinzip gezogen, daher der tiefe Eindruck, den seine Kunst auf das auf Farbe gestellte Schaffen der Süddeutschen ausübte.

Die schwächeren Kräfte folgten den Anregungen vordergründig, da sie das Prinzip nicht verstanden oder erkannten. Sie dekorierten kubistische Formelemente mit Farbe oder versuchten sich in freien Farbspielen. Zwei Maler jedoch vertraten die neuen Gesichtspunkte in individueller Prägnanz. Wassily Kandinsky, dessen bildnerischer Intelligenz das fauvistische Farb- wie das expressionistische Emotionspathos immer wieder zu zügeln und den eigenen Zielen unterzuordnen gelang; Franz Marc, dessen pantheistische Einstellung auf das Inhaltliche nicht verzichten mochte und dafür Farbformklänge entwickelte, mit denen sich die Erfahrungen des Diesseitigen in einen größeren Seinszusammenhang einbringen ließen – das, was er die »mystisch-innerliche Konstruktion« nannte.

In den für das Werden und Sein des ›Blauen Reiters‹ entscheidenden Jahren zwischen 1910 und 1912 standen in Kandinskys Werk die ›Impressionen‹, die ›Improvisationen‹ wie die ›Kompositionen‹ noch immer unter dem Eindruck des gegenständlichen Erlebens. Auch seine theoretischen Untersuchungen galten vor allem der weitergehenden Befreiung von jenen ›Vibrationen‹, die noch aus dem visuellen Erfahrungsbereich stammten, um letztlich das Inhaltliche im freien Klang ausdrücken zu können. Am schärfsten waren die ›Kompositionen‹ auf dieses Ziel ausgerichtet. Vergleicht man ihre Entwicklung bis um 1912, so läßt sich das langsame Zurückweichen des dinglichen Form-

49   Wassily Kandinsky, Kleine Freuden, Nr. 174. 1913

vorrates bis zu seinem Übergang in die freie Arabeske verfol-
gen. Lediglich die Farbe hatte schon früher weitergehende Un-
abhängigkeit gewonnen. In musikantische Harmonien oder
Dissonanzen eingesetzt – wir erinnern uns der vielfältigen Bemühungen –, übertönte sie die Bildkonstruktion und löste endlich auch die Reste der perspektivischen Illusionsräumlichkeit
auf, die sich bis dahin in den Bildern erhalten hatte. Die Jahre
zwischen 1912 und 1914 sind schließlich die der abschließenden
Auseinandersetzung mit Kubismus, Orphismus und Futurismus. Sie endet mit dem Gewinn des autonomen, von jeder Ver-

bindung zur realen Dingwelt befreiten Bildorganismus und eines weit über die Vorstellung der Kubisten hinausreichenden Bildraumes. Damit war auch die statische Bildkonstruktion aufgegeben worden; Farbe als Bewegungsspur, als Emotionsträger oder als Ausdrucksarabeske dynamisierte die Bildfläche, brachte als kinetisches Element das Moment von Zeit und Raum ins Spiel. Bei dieser deutlichen Akzentverlagerung zur Farbe hatte Delaunay anfangs noch Hilfe bieten können; bald zielten jedoch Kandinskys Ideen weit über die rationalen Vorstellungen des Franzosen hinaus. Die Negation der Fläche durch den räumlichen Distanzwert der Farbe öffnete irrationale Bildräume, ihre suggestive Kraft brach sphärische Tiefen auf. Das Bild erweiterte

50 Franz Marc, Die ersten Tiere. 1913

51 Franz Marc, Wildeber und Sau. 1913

52 Franz Marc, Der heilige Julian. 1913

sich zum Kosmos, durchpulst vom Strom dionysischer Klänge, die nun nicht mehr melodisch, sondern symphonisch verwendet wurden, worunter der Künstler den Zusammenklang mehrerer einem Hauptmotiv untergeordneter Nebenmotive verstand. Sie konnten sowohl Assoziationen heraufbeschwören wie Transzendentes erahnen lassen und überfingen die stärksten Kontraste: Rationales und Irrationales, Dynamisches und Statisches.

Von den Arbeiten dieser Zeit geht ein unbestreitbar expressives Pathos aus. Selbst seine formale Bändigung vermag nicht über den tragenden Grund, das östlich-mystische Ausdrucksverlangen hinwegzutäuschen. Gerade das aber trennte Kandinsky von der rationalen Bildarchitektur des französischen Kubismus. Die Distanz ist groß zu ihm, von dem Roger Allard im ›Blauen Reiter‹ geschrieben hatte, er sei »in erster Linie der bewußte Wille, in der Malerei die Kenntnis von Maß, Volumen und Gewicht wiederherzustellen...« Damit berührte sich die Kunst des Russen doch wieder mit dem religiösen Allgefühl des Deutschen Marc: »Die Mystik erwacht in den Seelen und mit ihr uralte Elemente der Kunst«, das er zwar nicht direkt teilte, jedoch als eine verwandte Schöpfungsquelle empfand.

Der Kontakt zu Wassily Kandinsky fiel für Franz Marc mit dem kritischen Zeitpunkt einer künstlerischen Krise zusammen, in der der Maler die Dingwelt abtastete, ohne zu ihrem eigentlichen Kern und Sinn vordringen zu können. Noch vermochte die Beschäftigung mit der Form nicht die erwartete Antwort im Seelischen wachzurufen. Macke brachte die Botschaft der Farbe, die sich spirituell einsetzen ließ, deren magischer Charakter, faßte man ihn nur, jene Sphäre der Entrückung öffnete, in der das Sichtbare zum Gleichnis wird: »Man hängt nicht mehr am Naturbilde, sondern vernichtet es, um die mächtigen Gesetze, die hinter dem schönen Schein walten, zu zeigen.« Kandinskys kosmische Visionen mußten den Maler gerade in dieser Situation wie ein gewaltiger Anruf treffen – eine gefährliche Verlockung, vor der der distanziertere Freund Macke ihn immer wieder bewahren wollte. In der Tat wählte Franz Marc, der eindringlichen Nähe des russischen Gefährten stets gewärtig, doch einen anderen Weg. Auch dabei wurde die Auseinandersetzung mit dem

53 Franz Marc, Tierschicksale (Die Bäume zeigen ihre Ringe, die Tiere ihre
    Adern). 1913

farbigen Orphismus, die in der Bekanntschaft mit Delaunay
1912 in Paris gipfelte, zum Ausgangspunkt für die entscheidende
Phase des Werkes. Hier sah er einen Weg vorgezeichnet, die
Hülle der Materie aufzubrechen, Form durch Farbschwingung
zu ersetzen, ohne auf ihren Ausdruckswert verzichten zu müssen.
Die vor den Werken der italienischen Futuristen gewonnenen
Erkenntnisse bestätigten die erfühlte Nähe einer neuen Realität,
die im geheimnisvollen Zusammenhang mit den Quellen des
Seienden stand. So erhält das Abstrakte gleichnishaften Sinn,
denn Welt und Natur werden bei Franz Marc nicht ausgeschlos-
sen, sie sind hermetisch in die neugefundenen Bildzeichen eingeschlüsselt, bestehen in den erweiterten Dimensionen des Bildes
fort. Die endlich erzielte Übereinstimmung von Farbe, Form und
Gehalt gegen 1913 wurde zur Grundlage, »die Sehnsucht nach
dem unteilbaren Sein, die Befreiung von den Sinnestäuschungen
unseres ephemeren Lebens« zum Tenor seines Schaffens. In Wer-

ken von visionärer Eindringlichkeit schilderte der Maler das Ein-
gefügtsein alles Lebenden in den kosmischen Zusammenhang, die
Legende von der gleichnishaften Erscheinung alles Seienden. Sie
sind erfüllt vom Ausdruck einer sehnsüchtigen Hoffnung auf
universale Harmonie. Nicht der Mensch, die Symbolfigur des
Tieres öffnete den Zugang in die erfühlte Welt. Bis gegen 1914
waren die Hinweise auf den tieferen Sinngehalt noch an abstra-
hierte, an Gegenständliches erinnernde Formen gebunden. Sie
bezeichneten jedoch nichts Reales mehr, sondern zielten auf Meta-
physisches: kathedralhafte Überbauten, kristallen facettiertes
Licht, zuckende Linien, transzendente Farbgebilde antworten
wie ein Echo auf das ahnungsvolle Sein der Kreatur. Sie wird
zum Sinnbild andächtiger Ergriffenheit, des pantheistischen
Weltgefühls; spirituell geläuterte Klänge offenbaren die Identität des Schöpfers mit dem Geschaffenen. Gemälde wie die
Tierschicksale (1913, Abb. 53; ursprünglich ›Und alles Sein ist
flammend Leid‹) oder *Das arme Land Tirol* (Ft. 18), in denen
unverkennbar mittelalterliche Farbmystik mitschwingt, sind in
diesen Zonen angesiedelt, nah und doch entrückt, getragen vom
Klange vorher nie gehörter Farbmelodien. Ende 1913 erkannte
Marc, daß es oberhalb der »Animalisierung der Welt«, wie er
dereinst sein Ziel umschrieben hatte, höhere Visionen geben
müsse. Nun bedurfte es keines äußeren Anstoßes mehr, den letzten Schritt zur Abstraktion zu tun, mitgetragen vom Gedanken
an das neue naturwissenschaftliche Weltbild. Der Künstler ge-
stand ihm soviel Einfluß zu, wie seine Vorstellungen »unser
geistiges Auge neu orientieren«. Marcs abstrakte Schöpfungen
sind übrigens nicht mit denen Kandinskys identisch, da sich in
ihnen amorphe organische Grundformen erhalten: Natur bleibt
eingeschlüsselt. Die neuen Wege auszumessen war dem Maler
nicht mehr vergönnt, im entscheidenden Stadium brach der Krieg
aus. 1916 ist Franz Marc vor Verdun gefallen.

Daß Idee und Ausstrahlung des ›Blauen Reiters‹ auf der In-
tensität und Aktivität zweier Künstler – Marc und Kandinsky –
beruhen, ist unbestritten. Sicher ist die relative Breite der Bewegung, ihre Wirkung über die Münchener Lokalsituation hin-

54 August Macke, Großes helles Schaufenster. 1912

aus nicht ohne die Beteiligung vieler Maler denkbar, doch haben diese die Entwicklung weder gesteuert noch bestimmt. Jawlensky blieb gänzlich außerhalb, er hat sich nicht einmal an den Ausstellungen beteiligt. Gabriele Münter und Marianne von Werefkin reflektierten in ihren Werken mehr das Engagement ihres Freundeskreises, als Entscheidendes beizutragen. Es bleibt unbestreitbar ein Verdienst Kandinskys, die künstlerische Potenz des jungen Paul Klee erkannt und ihn zur Teilnahme aufgefordert zu haben, doch stand dieser damals gerade erst am Anfang des Weges.

August Macke nimmt eine Sonderstellung ein. Anfangs von dem revolutionären Elan des Münchener Kreises fasziniert und in der Gefahr, sich künstlerisch anzugleichen, erkannte Macke bald die ihm daraus drohende Einengung der eigenen Vorstellungen. Ihn wie üblich kurzerhand dem engeren Kreise des ›Blauen Reiters‹ zuzuordnen, wozu sicher die langjährige Freundschaft zu Franz Marc und sein steter persönlicher Einsatz für die Sache der Freunde berechtigte, hieße die wachsende Distanz des Rheinländers zu den Ideen der süddeutschen Maler zu übersehen. Er ließ sich nicht integrieren und lehnte den Beitritt zur ›Neuen Künstlervereinigung‹ ebenso strikt ab wie er später zur hohen Zeit des ›Blauen Reiters‹ auf der kompromißlosen Abgrenzung der gegenseitigen künstlerischen Auffassungen bestand: »Meine Ansichten über Kunst sind verschieden von Kandinsky und Marc. Ich fühle mich jetzt für mich allein verantwortlich« (16. 10. 1913 an B. Koehler).

Es mag die programmatische Art des Münchener Redaktionskreises gewesen sein, die den stärker auf sinnliche Eindrücke als auf theoretische Überlegungen reagierenden Macke zum Abstand bewogen, oft scharf in der Diktion, wobei die ausgleichende, versöhnliche Art des neun Jahre älteren Marc die Gefahr härterer Auseinandersetzungen immer wieder bannte, ohne ihren Grund indes beseitigen zu können.

Sicher sind die künstlerischen Ansatzpunkte nicht einmal so sehr voneinander verschieden. Theoretisch läßt sich Mackes Kunst

55 Wassily Kandinsky, Wandbild für Campbell. 1914 (Sommer) ▷

56 Franz Marc, Spielende Formen. 1914

sehr wohl aus der Synthese von Fauvismus und orphischem Kubismus herleiten, wobei Einflüsse aus dem ›Blauen Reiter‹ nicht
zu leugnen sind. Sehr viel entscheidender jedoch als eine derartige
Etikettierung ist die poetische Erhöhung des Sichtbaren zum per-
sönlichen Ausdruck, die der Kunst August Mackes ihre unver-
wechselbare Eigenart verleiht. Das Bild als Sinnzeichen der freu-
digen Ergriffenheit angesichts der Schönheit der Welt, als Gleichnis farbiger Ordnung und bildnerischer Harmonie – da mußte
das kristalline Gefüge der Bildordnungen eines Delaunay tiefer
berühren als das östliche Pathos von Kandinsky, der Mystizismus eines Franz Marc. Die Begegnung mit Delaunay 1912 in
Paris stellte in der Tat die Weichen der Entwicklung. Von diesem Zeitpunkt an verstärkte sich der bis dahin mehr untergrün-
dige Widerstand gegen die Bestrebungen des ›Blauen Reiters‹,
zeichnete sich für Macke ein Weg ab, aus dem von München her
beeinflußten geistigen Umgang mit der Farbe jene bildnerische
Gesetzmäßigkeit zu gewinnen, aus der das Bild der Welt erhöht

und verwandelt zurückleuchten konnte: Malerei als visuelle Poesie, verwirklicht aus dem Medium der reinen Farbe. Macke bedurfte dabei nicht der strengen Disziplin des Kubismus, die Delaunays Werke bestimmte. Seine Kunst blieb um ein weniges sinnlicher, die kristalline Brechung der Farben vollzog sich nicht nach den Gesetzen der französischen Kunst, sondern wurde vom Augeneindruck gesteuert. Macke ließ die französischen Anregungen in die eigene sinnliche Wahrnehmung einfließen, verwendete sie wie ein feines Gerüst, das half, die Fülle optischer Eindrücke zum farbigen Bildmuster zu ordnen. Er sah die Welt im Gleichnis der Farben, begriff Schönheit als Äquivalent der Bildordnung: aus beglücktem Schauen entstand ein geläutertes Bild der Natur. In diesem gesteigerten Augenblick des Seins wurde dem Maler ein besonderes Erlebnis zuteil: die Reise mit Klee und Moilliet 1914 nach Tunis. Die 37 Aquarelle, die hier entstanden, sind Höhepunkt und Ende zugleich. Ebenso einfach wie sublim gemalt, in selbstverständlicher Schönheit und Vollkommenheit markieren die Blätter jenen Punkt der Entwicklung, an dem sich Geistiges und Sinnliches vollkommen durchdringen. Nur wenige Monate später ist der Maler im Westen gefallen.

Mit dem Weltkrieg endet die Geschichte des ›Blauen Reiters‹. Hält der Almanach noch die geistige Lage der Entwicklungszeit um 1911 fest, so hätte die von Kandinsky und Marc geplante Fortsetzung von 1914, über die wir wenigstens bruchstückweise unterrichtet sind, bereits das Fazit der vorangegangenen Bemühungen ziehen können.

Die Anschauungen von Kunst hatten sich zwischen 1910 und 1914 tiefgreifender verändert, als das die Mitinitiatoren dieses Umbruchs, die Künstler, damals ahnen konnten. Für eine kurze Spanne steht München mit dem ›Blauen Reiter‹ im Brennpunkt der europäischen Entwicklung. Hier wird der entscheidende Schritt zur expressiven Abstraktion getan, mit dem eine junge Generation das überlieferte Vertrauensverhältnis zum sichtbaren Sein aufgab, um an die Stelle des Abbildes das Gleichnis zu setzen, bildnerische Formeln für das Unanschauliche zu entwickeln, die spirituelle, nicht die formale Konstruktion des Seienden freizulegen. Die Künstler wußten sich dabei im Einklang mit den Naturwissenschaften. Dieser Übereinstimmung sollte das zweite Heft des ›Blauen Reiters‹ gewidmet sein.

Keine Gemeinschaft, ausgeprägte Individualitäten hatten die Wegrichtung bestimmt und ihr den Stempel aufgedrückt. So ist die Ästhetik des ›Blauen Reiters‹ zwangsläufig anders als die des norddeutschen oder des ›Brücke‹-Expressionismus. In beiden Richtungen aber offenbart sich als verbindende Gemeinsamkeit jenes übergeordnete Seinsgefühl, das wir als das eigentliche Charakteristikum dieses Zeitabschnittes empfinden.

Dokumentarischer Anhang

Wassily Kandinsky: ›Der Blaue Reiter‹ (Rückblick)

Sehr geehrter Herr Westheim!

Sie fordern mich auf, meine Erinnerungen an die Entstehung des ›Blauen Reiter‹ wachzurufen. Heute – nach so vielen Jahren – ist dieser Wunsch berechtigt, und ich komme ihm sehr gerne nach.

Heute – nach so vielen Jahren – hat sich die geistige Atmosphäre in dem so schönen und trotz allem doch lieben München grundsätzlich verändert. Das damals so laute und unruhige Schwabing ist still geworden – kein einziger Laut verbreitet sich von dort. Schade um das schöne München und noch mehr schade um das etwas komische, ziemlich exzentrische und selbstbewußte Schwabing, in dessen Straßen ein Mensch – sei es ein Mann oder eine Frau (a Weibsbuild) – ohne Palette, oder ohne Leinwand, oder mindestens ohne eine Mappe sofort auffiel. Wie ein ›Fremder‹ in einem ›Nest‹. Alles malte . . . oder dichtete, oder musizierte, oder fing zu tanzen an.

In jedem Haus fand man unter dem Dach mindestens zwei Ateliers, wo manchmal nicht gerade so viel gemalt wurde, aber stets viel diskutiert, disputiert, philosophiert und tüchtig getrunken (was mehr vom Beutel – als vom Moralzustand abhängig war . . .).

Dort lebte ich lange Jahre. Dort habe ich das erste abstrakte Bild gemalt. Dort trug ich mich mit Gedanken über ›reine‹ Malerei, reine Kunst herum. Ich suchte, ›analytisch‹ vorzugehen, synthetische Zusammenhänge zu entdecken, träumte von der kommenden ›großen Synthese‹, fühlte mich gezwungen, meine Gedanken nicht nur der mich umgebenden Insel, sondern den Menschen außerhalb dieser Insel mitzuteilen. Ich hielt sie für befruchtend und notwendig.

So entstand von selbst aus meinen flüchtigen Notizen ›pro doma sua‹ mein erstes Buch ›Über das Geistige in der Kunst‹. Ich hatte es 1910 fertig geschrieben in meiner Schublade liegen, da kein einziger Verleger den Mut hatte, einige (schließlich ziemlich geringe) Verlagskosten zu riskieren. Auch die sehr warme Teilnahme des großen Hugo von Tschudi nützte nichts.

Zu derselben Zeit wurde mein Wunsch reif, ein Buch (eine Art Almanach) zusammenzustellen, an dem sich ausschließlich Künstler als Autoren beteiligen sollten. Ich träumte von Malern und Musikern in erster Linie. Die verderbliche Absonderung der einen Kunst von der anderen, weiter der ›Kunst‹ von der Volks-, Kinderkunst, von der Ethnographie (Meine erste Begeisterung für Ethnographie ist alten Datums: als Student der Moskauer Universität bemerkte ich allerdings ziemlich unbewußt, daß die Ethnographie ebenso Kunst wie Wissenschaft ist. Die entscheidende Tatsache war aber der erschütternde Eindruck, den ich viel später im Museum für Völkerkunde in Berlin von der Negerkunst erlebte!), die fest gebauten Mauern zwischen den in meinen Augen so verwandten, öfters identischen Erscheinungen, mit einem Wort die synthetischen Beziehungen ließen mir keine Ruhe. Heute kann es ja sonderbar erscheinen, daß ich lange keinen Mitarbeiter, keine Mittel, einfach kein genügendes Interesse für diese Idee finden konnte.

Es war die kräftige Anfangszeit der vielen ›Ismen‹, die das synthetische Empfinden noch nicht kannte und in temperamentvollen ›Zivilkriegen‹ das Hauptinteresse fand. Fast an einem Tag (1911–12) kamen in der Malerei zwei große ›Strömungen‹ zur Welt: der Kubismus und die Abstrakte (= Absolute) Malerei. Gleichzeitig der Futurismus, Dadaismus und der bald siegreich gewordene Expressionismus. Es dampfte nur so! Die atonale Musik und sein damals überall ausgepfiffener Meister Arnold Schönberg regten die Gemüter nicht weniger als die erwähnten malerischen Ismen auf.

Damals lernte ich Schönberg kennen und fand in ihm sofort einen begeisterten Anhänger der Blaue-Reiter-Idee. (Es war damals nur ein Briefwechsel, die persönliche Bekanntschaft kam erst etwas später zustande.) Mit einigen zukünftigen Autoren stand ich bereits in Verbindung. Es war der Blaue Reiter in spe, noch ohne Verkörperungsaussichten. Und da kam Franz Marc aus Sindelsdorf. Eine Unterredung genügte: wir verstanden uns vollkommen. In diesem unvergeßlichen Mann fand ich ein damals sehr seltenes Exemplar (ist es heute nicht so selten?) eines Künstlers, der weit über die Grenzen einer ›Vereinsmeierei‹ blicken konnte, der nicht äußerlich, sondern innerlich gegen bindende, hemmende Traditionen eingestellt war.

Das Erscheinen des ›Geistigen‹ im R. Piper-Verlag verdanke ich Franz Marc: er ebnete die Wege. Lange Tage, Abende, hier und da auch halbe Nächte besprachen wir unser Vorgehen. Klipp und klar war uns beiden von vornherein, daß wir streng-dikta-

57 Wassily Kandinsky, Interieur, Wohnzimmer in der Ainmillerstr. 36. 1909

torisch vorgehen müssen: volle Freiheit für die Verwirklichung der verkörperten Idee.

Franz Marc brachte in dem damals sehr jungen August Macke eine hilfreiche Kraft. Wir stellten ihm die Aufgabe, hauptsächlich das ethnographische Material zu besorgen, was wir auch selbst mitmachten. Er löste seine Aufgabe glänzend und bekam eine weitere, über Masken einen Aufsatz zu schreiben, was er ebenso schön erledigte. Ich besorgte die Russen (Maler, Komponisten, Theoretiker) und übersetzte ihre Artikel. Marc brachte aus Berlin eine große Anzahl Blätter – es war die ›Brücke‹, die erst gebaut wurde und in München vollkommen unbekannt war.

»Künstler schaffe, rede nicht!« schrieben und sagten uns einige Künstler und lehnten unsere Aufforderung, Artikel zu liefern, ab. Dies gehört aber zum Kapitel der Ablehnungen, Bekämpfungen, Empörungen, was hier unberührt bleiben soll. Es war eilig! Noch vor der Erscheinung des Bandes veranstalteten Franz Marc und ich die I. Ausstellung der Redaktion des Blauen Reiters (Den Namen ›Der blaue Reiter‹ erfanden wir am Kaffeetisch in der Gartenlaube in Sindelsdorf; beide liebten wir Blau, Marc – Pferde, ich – Reiter. So kam der Name von selbst. Und der märchenhafte Kaffee von Frau Maria Marc mundete uns noch besser.) in der Galerie Thannhauser – die Basis war dieselbe: kein Propagieren einer bestimmten, exklusiven ›Richtung‹, das Nebeneinanderstellen der verschiedensten Erscheinungen in der neuen Malerei auf internationaler Basis und ... Diktatur. »... wie der innere Wunsch der Künstler sich mannigfaltig gestaltet«, schrieb ich im Vorwort.

Die zweite (und letzte) Ausstellung war eine grafische in der gerade erst eröffneten Galerie Hans Goltz, der vor zwei Jahren etwa, kurz vor seinem Tod, mit großer Begeisterung über diese famose Zeit an mich schrieb. Mein Nachbar in Schwabing war Paul Klee. Er war damals noch sehr ›klein‹. Ich kann aber mit berechtigtem Stolz behaupten, daß ich in seinen damaligen ganz kleinen Handzeichnungen (er malte noch nicht) den späteren großen Klee gewittert habe. Eine Zeichnung von ihm ist im Blauen Reiter zu finden.

58 Franz Marc am Kaffeetisch in Sindelsdorf, um 1912 ▷

Es drängt mich, noch den überaus großzügigen Mäzen von Franz Marc, den auch kürzlich verstorbenen Bernhardt Koehler, zu erwähnen. Ohne seine hilfreiche Hand wäre der Blaue Reiter doch eine schöne Utopie geblieben, auch ›Der erste Deutsche Herbst-Salon‹ von Herwath Walden und noch manches andere.

Mein nächster Plan für den nächsten Band des Blauen Reiter war, die Kunst und die Wissenschaft nebeneinander zu stellen: Ursprung, Werdegang in der Arbeitsart, Zweck. Heute weiß ich noch viel besser als damals, wie viele kleinere Wurzeln zu einer einzigen großen zurückzuführen sind – Arbeit der Zukunft. Aber damals kam der Krieg und schwemmte auch diese bescheidenen Pläne fort. Was aber durchaus notwendig ist – innerlich! – kann verschoben, aber nicht mit der Wurzel herausgerissen werden.

Mit den besten Grüßen   Ihr Kandinsky

(Aus: ›Das Kunstblatt‹, XIV. Jahrg. 1930, S. 57f.)

59 Gruppenbild aus dem Kreis um den ›Blauen Reiter‹. 1912 (V. l. n. r.): Maria und Franz Marc, Bernhard Koehler sen., Heinrich Campendonk, Thomas von Hartmann, sitzend: Wassily Kandinsky

Neue Künstlervereinigung München e. V.

1. Ausstellung. Moderne Galerie Thannhauser, München. Turnus
1909–1910. 1.–15. Dezember 1909

Vorwort:
... Wir gehen aus von dem Gedanken, daß der Künstler außer
den Eindrücken, die er von der äußeren Welt, der Natur erhält,
fortwährend in einer inneren Welt Erlebnisse sammelt und das
Suchen nach künstlerischen Formen, welche die gegenseitige
Durchdringung dieser sämtlichen Erlebnisse zum Ausdruck bringen sollen – nach Formen, die von allem Nebensächlichen befreit
sein müssen, um nur das Notwendige stark zum Ausdruck zu
bringen, – kurz, das Streben nach künstlerischer Synthese, dies
scheint uns eine Losung, die gegenwärtig wieder immer mehr
Künstler geistig vereinigt ...
(Aus dem Gründungszirkular der Neuen Künstlervereinigung
München)

Beteiligte Künstler: Paul Baum, Wladimir von Bechtejeff, Erna
Bossi, Emmi Dresler, Robert Eckert, Adolf Erbslöh, Pierre
Girieud, Karl Hofer, Alexej von Jawlensky, Wassily Kandinsky,
Alexander Kanoldt, Moyssey Kogan, Alfred Kubin, Gabriele
Münter, Carla Pohle, Marianne von Werefkin.

Neue Künstlervereinigung München e. V.

2. Ausstellung. Moderne Galerie Thannhauser, München. Turnus
1910/11. 1.–14. September 1910

Vorwort:
Das Kunstwerk.
Das Kunstwerk ist das Gesetz, das der menschliche Geist den
Elementen der Natur aufzwingt, es ist ein Verhältnis zu ihnen

NEUE
KÜNSTLER VEREINIGVNG = MÜNCHEN
AUSSTELLUNG I
IN DER „MODERNEN GALERIE"
VON H. THANNHAVSER THEATINERSTR. 7.
VOM I BIS I5 DEZEMBER 1909

60 Plakat für die ›Neue Künstlervereinigung‹ München. 1909

nach einem bestimmten Willen. **Das Schöne** ist das Gefühl dieses Verhältnisses und **der Zahlenwert** sein allgemeinster Ausdruck.

I. Das Kunstwerk **konstruktiv** betrachtet:

Ein ›numerisches Kunstwerk‹ muß im konstruktiven Sinne Zeichen darstellen, und diese Zeichen sind die **Anordnung** und der **Ausdruck im Allgemeinen.** In der Anordnung ist ›die Zahl‹ einfach oder zusammengesetzt. **Einfach** ist sie dann, wenn eine Gruppe von numerischen Quantitäten den Maßen der ebenen oder bildlichen Weiten entspricht, die zwischen einer Reihe von zusammengehörigen Punkten existieren; **zusammengesetzt,** wenn es eine Gruppe von ursprünglichen Flächen auf der Konstruktionsbasis gibt und wenn eine Gruppe von Gesichtspunkten existiert, die die Resultante der verschiedenen durch die ursprünglichen Flächen gebildeten Richtungswirkungen sind. – Was die Werte des allgemeinen Ausdrucks anbelangt, so repräsentiert die Zahl fiktiv die Entfernungen der verschiedenen Punkte des Reliefs bis zu einer idealen Ebene, die derjenigen des Bildes parallel läuft und den Raum in zwei Hälften teilt, indem sie durch ihre Eigenschaft die anderen Raumvolumina als unsichtbar suggeriert. Was den Ausdruck der Töne (Farben) betrifft, so bilden die Zahlen eine Stufenleiter nach den Schwingungen des Lichtes. (Dies ist wesentlich relativ und fiktiv und gehört dem Gebiete der Empfindung an.)

II. Das Kunstwerk **qualitativ** betrachtet:

Das in dieser Weise numerisch aufgefaßte Kunstwerk besitzt endlich qualitative Zeichen: die höchste Knappheit, die Verwirklichung und einen bestimmten Grad von Naturalismus. – Die **höchste Knappheit** der Mittel um der höchsten Ziele willen. (Der Künstler schafft durch Abstraktion) Die **Verwirklichung** als Bedeutung der allgemeinen Formensprache unter Anwendung der günstigsten Mittel und **der Grad des Naturalismus,** den der Künstler beobachtet. Naturalismus ist hier nicht mehr im Sinne der naturalistischen Schule gemeint (deren einziges Vorurteil er war), sondern als ein Zusammenhang des Geistes mit der Materie, von letzterer nur das behaltend, was gerade notwendig ist, um sie mit weisestem Maßhalten wachzurufen.

LE FAUCONNIER

Unsere Kunst ist national: Zu Hause und im Auslande wird uns jungen russischen Künstlern vorgeworfen, daß wir uns blind dem Einflusse der französischen Kunst hingegeben haben.

Gerade im Auslande bekommen wir diesen Vorwurf zu hören von seiten oberflächlicher Beobachter, welche das Künstlerische mit dem Ethnographischen verwechseln und in letzterem das Nationale suchen. So werden für russisch und national erklärt solche Künstler wie Wereschtschagin und der jüngst im Auslande viel bewunderte Borissoff.

Es ist wahr, daß wir die Weltideen der französischen Malerei seit den sechziger Jahren in uns aufgenommen haben und so scheinbar nur eine russische Abspiegelung dieser Kunst sind und als fremde Kultur, fremde Seele auch in Rußland erscheinen. Es ist aber nur scheinbar so. Die französische Kunst ist uns tatsächlich verwandt und verständlich. Das Hyperbolische der Linie und der Farbe, das Archaische, die Vereinfachung – Synthese – ist ja vollkommen in der schöpferischen Seele unseres Volkes vorhanden. Man erinnere sich nur an unsere Kirchenfresken, an unsere Volksblätter (Lubki), Heiligenbilder (Ikôni) und schließlich an die wundervolle Märchenwelt der skythischen Plastiken, an schreckliche Götzen, welche in der Roheit ihrer nirgend sonstwo gesehenen Form überzeugend sind und echte, monumentale Größe offenbaren. An dieser monumentalen Größe können sich nur die ältesten Schöpfungen halbwilder Völker einigermaßen messen.

Diese seelische Verwandtschaft ist der Grund und die Ursache der grenzenlos begeisterten Aufnahme, der Vergötterung der erwähnten französischen Ideen der ›neuen Kunst‹ von seiten der besten russischen Elemente. Kein anderes Land bietet in diesem Falle ein gleiches Bild der Begeisterung. Und auf Grund der seelischen Verwandtschaft wurden diese Ideen zu Elementen unseres Lebens und ihre Vertreter (Manet, Cézanne, Gauguin, van Gogh, Derain, Le Fauconnier, Matisse, Picasso) stehen uns schließlich unendlich viel näher als die drei vor uns gewesenen Generationen der russischen Künstler, welche im 19. Jahrhundert in die anekdotische, unterhaltende Malerei hineingezogen wurden. Und deswegen ist nie die wünschenswerte Spaltung zwischen den Künstlern in Rußland so groß gewesen, wie heutzutage. Natürlich bleiben diese Ideen, in dem sie sozusagen auf einen anderen Boden verpflanzt werden, durchaus nicht unverändert. Die erwähnten altertümlichen Kunstwerke ebenso, wie das Land selbst – die Ebenen, Flüsse, Wiesen, Menschen, Tiere und selbst der Himmel – können nicht ohne Einfluß auf die Kunst bleiben.

Und so ist es kein Wunder, daß die russischen Künstler sich stark genug fühlen, um vor keiner Nachahmung bange zu sein und stets russisch bleiben.

DMITRI BURLJUK*)   NOWAJA MAJATSCHKA
WLADIMIR BURLJUK   Gouv. Tauris. (Süd-Rußland)

*) müßte eigentlich David B. heißen.

61 Wassily Kandinsky, Mitgliedskarte für die ›Neue Künstlervereinigung‹ München

Zu unbestimmter Stunde, aus einer heute uns verschlossenen Quelle, aber unvermeidlich kommt zur Welt das Werk.

Kalte Berechnung, planlos springende Flecken, mathematisch genaue Konstruktion (klar daliegend oder versteckt), schweigende, schreiende Zeichnung, skrupulöse Durcharbeitung, Fanfaren der Farbe, das Geigenpianissimo derselben, große, ruhige, wiegende, zersplitterte Flächen.

Ist das nicht die Form?

Ist das nicht das **Mittel**?

Leidende, suchende, gequälte Seelen mit tiefem Riß, durch Zusammenstoß des Geistigen mit dem Materiellen verursacht. Das Gefundene. Das Lebende der lebenden und der ›toten‹ Natur. Der Trost in den Erscheinungen der Welt – äußerer, innerer. Ahnen der Freude. Das Rufen. Das Sprechen vom Geheimen durch Geheimes.

Ist das nicht der Inhalt?

Ist das nicht der bewußte oder unbewußte **Zweck** des zwingenden Schaffensdranges?

Schade um den, welcher die Macht hat, in den Mund der Kunst die nötigen Worte zu legen, und es nicht tut. Schade um den, welcher sein Seelenohr vom Munde der Kunst abwendet. Mensch spricht zum Menschen vom Übermenschlichen – die **Sprache** der Kunst.

MURNAU (Oberbayern), August 1910   KANDINSKY

Ich wende mich hier weder an die Metaphysiker noch an die Theoretiker, noch an die Pädagogen, denn diese halten ihre Augen nicht mit Beharrlichkeit auf die Schönheiten der Natur gerichtet. Die Welt, in der sie leben, hält sie zu weit entfernt von den Vorstellungen, die die Sinneseindrücke mit den Gedanken verbinden. Ihr Geist beschäftigt sich zu viel mit der Abstraktion, als daß sie die Freuden der Kunst ganz teilen und genießen könnten, Freuden, die stets die Beziehungen der Seele zu den wirklichen und äußeren Gegenständen voraussetzen.

Ich spreche zu den Empfänglichen, die ohne ihre Zuflucht zu nutzlosen Auslegungen zu nehmen, den geheimen und geheimnisvollen Gesetzen des Empfindungsvermögens und der Seele folgen.

Täglich ist der Künstler dem unvermeindlichen Pulsschlag der ihn umgebenden Welt unterworfen. Er ist, als ein beständiger Mittelpunkt von Sinneseindrücken, immer bescheiden, hypnotisiert von den Naturwundern, die er liebt und analysiert, und seine Augen stehen in ständiger Beziehung zu den zufälligsten Erscheinungen. Er strebt ja hin zu dieser für ihn als Maler so begehrenswerten Vereinigung; wie sollte er da seinen ureigensten Zustand verlassen, um wie der Gelehrte oder der Ästhetiker in die Abstraktion, die Verallgemeinerung dringen zu wollen? Er kann es nicht. Diese außerhalb seiner selbst liegende Tätigkeit ist ihm versagt. Verlangt nicht, daß er ein Prophet sei. Er kann nur seine Früchte geben – hier liegt seine Aufgabe.

Wenn er sich mit den anderen vergleicht, wird er nur durch eine schwierige, sehr schwierige Operation die Brille von den Augen nehmen können, mit Klarheit die Frucht der anderen zu sehen ohne Hilfe ihrer Gläser. Nur von sich selbst weiß er gut und mit tiefer Kenntnis zu sprechen, von seinem eigenen Erleben, von dem bestimmten glücklichen oder tragischen Los, das ihm sein Geschick beschied.

Was mich selbst anbetrifft, so glaube ich eine ausdrucksvolle, suggestive, undeterminierte Kunst geschaffen zu haben. Die suggestive Kunst ist die Bestrahlung verschiedener bildnerischer, einander näher gebrachter, vereinigter Elemente, Träumereien hervorrufend, die sie erleuchtet und zu der Sphäre des Gedankens emporhebt. Wenn diese Kunst zunächst beim Publikum meiner rationalistischen Generation, in der das ein bißchen denkarme Gebäude des Impressionismus entstand, kein Echo gefunden hat, so versteht die gegenwärtige sie um so besser, da sich alles ändert. Die Jugend überdies, mit ihrem beweglicheren Innenleben und in Frankreich mehr denn ehedem von den erhabenen Wogen der Musik ergriffen, erschließt sich notwendigerweise auch den Dichtungen und Träumen der idealistischen Plastik dieser Kunst. –

Juli 1910   ODILON REDON

Was man hier sieht ist nicht ein Werk, welches geschickt fabriziert ist um zu gefallen, es sind naive Bilder, von einem geduldigen Arbeiter, welcher sein Werkzeug und die Materie, an der er arbeitet, liebt, und sucht nur einfach, so gut wie möglich, das Wahre der Dinge, die ihn begeistern, wiederzugeben. Er sagt das, was er fühlt und wie er es versteht – nicht mehr, nicht weniger – nichts um zu gefallen, nichts um seine ursprüngliche Anregung im Sinne eines vorgefaßten ›Ideals‹ zu rechtfertigen. Alle seine Vorbereitungen, Verbesserungen, sein ganzes Suchen hat zum einzigen Ziel die Ausdrucksmittel zu finden und nur sie allein. Er geht aber stets geradeaus, und seine Haupttugend ist die Aufrichtigkeit. Die Kunst von Rouault ist insofern eine populäre Kunst, als seine Inspiration aufrichtig und naiv ist wie die der glücklichen Handwerker der alten Zeiten. Angenommen, das Volk habe einen solchen bewundernswerten Vorrat von reicher Empfindsamkeit, spontaner Fantasie und von naivem und klugem Humor, so werden diese schönen Gaben, die allgemein unverstanden und verspottet sind, doch immer mehr verdorben durch die mechanische Arbeit, die industrielle Servilität und den vollständigen Mangel an Muße, durch welch alles die moderne Welt charakterisiert wird und auch durch das herabwürdigende Halbwissen, das heutzutage verbreitet ist. So sieht man sich gezwungen, sich zu den glückseligen Zeiten des Mittelalters zurückzuwenden, um in einer vollständig freien Kunst die volle Entfaltung volkstümlicher Werte zu finden. Ich möchte Rouault, der seinen Maler- und Keramiker-Beruf liebt, mit den Arbeitern von dazumal vergleichen, welche auch ihr Handwerk mit einer ernsten und fanatischen Leidenschaft liebten und beständig bemüht waren, sich in ihrer Technik zu vervollkommnen.

Mit Einfachheit und Aufrichtigkeit fanden sie ihre Inspiration in den Dingen, die sich jeden Tag ihren Augen, Händen, ihren Gedanken und ihrem Wunsch präsentierten; ich will sagen, sie fanden das alles im Glauben, der ihr Leben war und in den Wesen, die sie um sich herum beobachteten. Und auch Rouault findet seine Anregung nicht in irgendeinem abstrakten System oder in einer literarischen Emotion, sondern in dem, was das Leben, das Leben dieser Zeit und dieses Landes ihm in die Hand gibt.

Aber nicht nur, weil er auf solche Weise die Motive seiner Inspiration in der unmittelbaren Wirklichkeit sucht, ist Rouault den mittelalterlichen Handwerkern ähnlich. Er ist auch ebenso wie jene mit den technischen Ausdrucksmitteln beschäftigt, ebenso wie jene denkt er stets an das Material, das er in den Händen hat, um die Dinge darzustellen, er weiß, daß das Material Forderungen stellt, daß man mit denselben rechnen muß und daß man es nur dann beherrscht, wenn man seine Weisungen beachtet. Hier aber hört die Ähnlichkeit auf. An diese technische Intelligenz knüpft sich bei Rouault die ganze moderne Unruhe an; er sucht die Wirklichkeit so eng als möglich einzuzwängen; er sucht dies aber mit Nervosität, sich immer von neuem verbessernd, voll von einer zitternden, beinahe wütenden Leidenschaft. Wir konstatieren hier die Wirkungen der Vereinsamung, die jeden modernen Künstler zwingt, nur in sich selbst seine Ausdrucksmittel zu suchen, und ihm die Ruhe nimmt, die den mittelalterlichen Handwerkern durch das Gefühl des Mitarbeitens an einem großen, allgemeinen Werk und am selben Ideal gegeben wurde.

Durch den Fleiß und die Genauigkeit eines guten Arbeiters und durch den unruhigen Puls der Lyrik, von der er beseelt ist, verbreitet Rouault um uns eine dermaßen wirkliche und überzeugende Welt, daß er uns zwingt, vor dem Leben tiefer zu fühlen und zu denken*).

Beteiligte Künstler:

Wladimir von Bechtejeff, Erma Bossi, Georges Braque, André Derain, Kees van Dongen, Francisco Durio, Adolf Erbslöh, Le

*) Diese Zeilen sind dem Vorwort zu dem Katalog der Rouault-Kollektion bei Druet, Paris, entnommen, welches er uns zugeschickt hat.

Fauconnier, Pierre Girieud, Hermann Haller, Bernhard Hoetger, Alexej von Jawlensky, Eugen Kahler, Wassily Kandinsky, Alexander Kanoldt, Moyssey Kogan, Alfred Kubin, Alexander Mogilewsky, Gabriele Münter, Adolf Nieder, Pablo Picasso, Georges Rouault, Edwin Scharff, Maurice de Vlaminck, Marianna von Werefkin.

Nachtrag: David Burljuk, Wladimir Burljuk, Wassily Denissoff, Eugen Kahler, Alexander Mogilewsky, Seraphim Soudbibine.

Die 3. Ausstellung der Neuen Künstlervereinigung München e. V. vom 18. 12. 1911 – Januar 1912, ebenfalls in der Modernen Galerie Thannhauser, München, enthält kein Vorwort.

An der Ausstellung nahmen teil:
Erma Barrera-Bossi, Wladimir von Bechtejeff, Adolf Erbslöh, Pierre Girieud, Alexej von Jawlensky, Alexander Kanoldt, Moyssey Kogan, Marianna von Werefkin.

Moderne Galerie
Heinrich Thannhauser
MÜNCHEN   THEATINERSTR. 7

Werke erster Meister
Künstler der Secessionen
Moderne Franzosen
Der blaue Reiter

62 Ausstellung in der Modernen Galerie Heinrich Thannhauser, München

Katalog

Die erste Ausstellung der Redaktion DER BLAUE REITER
Galerie Thannhauser, München. 18. 12. 1911 – 1. 1. 1912
Wir suchen in dieser kleinen Ausstellung nicht *eine* präzise und
spezielle Form zu propagieren, sondern wir bezwecken in der
Verschiedenheit der vertretenen Formen zu zeigen, wie der
innere Wunsch der Künstler sich mannigfaltig gestaltet.

An der Ausstellung nahmen teil:
Henri Rousseau †, Paris, A. Bloch, München, D. Burljuk, Mos-
kau, W. Burljuk, Krim, H. Campendonk, Sindelsdorf, R. De-
launay, Paris, E. Epstein, Paris, E. Kahler †, Prag, Kandinsky,
München, A. Macke, Bonn, F. Marc, Sindelsdorf, G. Münter,
München, J. B. Niestlé, Sindelsdorf, Arnold Schönberg, Berlin.

Flugblatt mit dem Manifest: ›Die große Umwälzung . . .‹

Subskriptionsprospekt zum Almanach, verfaßt von Franz Marc,
Mitte Januar 1912 (nach Lankheit: ›Der Blaue Reiter‹, München
1965)

Der Blaue Reiter
Die Kunst geht heute Wege, von denen unsere Väter sich nichts
träumen ließen; man steht vor den neuen Werken wie im Traum
und hört die apokalyptischen Reiter in den Lüften; man fühlt
eine künstlerische Spannung über ganz Europa, – überall win-
ken neue Künstler sich zu: ein Blick, ein Händedruck genügt, um
sich zu verstehen!
   Wir wissen, daß die Grundideen von dem, was heute gefühlt
und geschaffen wird, schon vor uns bestanden haben, und weisen
mit Betonung darauf hin, daß sie in ihrem *Wesen* nicht neu
sind; aber die Tatsache, daß neue Formen heute an allen Enden
Europas hervorsprießen wie eine schöne, ungeahnte Saat, das
muß verkündet werden und auf all die Stellen muß hingewiesen
werden, wo Neues entsteht.

Aus dem Bewußtsein dieses geheimen Zusammenhanges der neuen künstlerischen Produktion wuchs die Idee des ›Blauen Reiters‹. Er soll der Ruf werden, der die Künstler sammelt, die zur neuen Zeit gehören, und der die Ohren der Laien weckt. Die Bücher des ›Blauen Reiters‹ werden ausschließlich von Künstlern geschaffen und geleitet. Das hiermit angekündigte erste Buch, dem andere in zwangloser Reihe folgen sollen, umfaßt die neueste malerische Bewegung in Frankreich, Deutschland und Rußland und zeigt ihre feinen Verbindungsfäden mit der Gotik und den Primitiven, mit Afrika und dem großen Orient, mit der so ausdrucksstarken ursprünglichen Volkskunst und Kinderkunst, besonders mit der modernsten musikalischen Bewegung in Europa und den neuen Bühnenideen unserer Zeit.

Katalog

Die zweite Ausstellung der Redaktion DER BLAUE REITER Schwarz-Weiß. Ausgestellt durch HANS GOLTZ/Kunsthandlung München/Briennerstraße 8   1912

Man kann es durch göttliche Versorgung erklären oder durch die Darwinsche Theorie. Nicht das ist hier wichtig, sondern das klare Wirken des Gesetzes.

Die Natur, das heißt eine Ameisenwelt oder die Sternenwelt entzückt uns durch zwei Seiten.

Die eine ist jedem Menschen bekannt: die ›unendliche‹ Verschiedenheit, der ›unbeschränkte‹ Reichtum der Naturformen: Elefant, Ameise, Fichte, Rose, Berg, Kieselstein.

Die andere Seite ist dem Unterrichteten bekannt: die Anpassung der Form an die Notwendigkeit (Elefantenrüssel, Ameisengebiß).

Die Menschen vertiefen sich in die Abspiegelung der Notwendigkeit in den Naturformen. Sie legen sich Zoologische Gärten an, um den Reichtum dieser zu sehen. Sie machen Reisen, so weit es nur geht – nach Indien, Australien, zum Nordpol, um sich an dieser Verschiedenheit zu ergötzen und die Abspiegelung der Notwendigkeit immer weiter zu ergründen.

Die Kunst ist hier der Natur gleich: der Reichtum ihrer Form ist unbeschränkt, die Verschiedenheit ihrer Form ist unendlich: die Notwendigkeit schafft diese Formen.

Warum ärgern sich manche, wenn sie diese naturellen Seiten der Kunst sehen, statt sich zu freuen?

Die Natur schafft ihre Form zu ihrem Zweck.
Die Kunst schafft ihre Form zu ihrem Zweck.
Man soll sich nicht über den Elefantenrüssel ärgern und ebenso soll man sich nicht über eine Form ärgern, die der Künstler braucht.

Unser heißer Wunsch ist, durch Beispiele des unerschöpflichen Reichtums der Form, die die Welt der Kunst unermüdlich gesetzmäßig schafft, Freude zu erwecken.

An der Ausstellung nahmen teil:
Hans Arp, Weggis; Albert Bloch, München; Georges Braque, Paris; Robert Delaunay, Paris; André Dérain, Paris; Maria Franck-Marc, Sindelsdorf; R. de la Fresnaye, Paris; Wilhelm Gimmi, Zürich; N. Gontscharowa, Moskau; Erich Heckel, Berlin; Walter Helbig, Weggis; Kandinsky, München; E. L. Kirchner, Berlin; Paul Klee, München; M. Larionow, Moskau; Robert Lotiron, Paris; Oscar Lüthy, Weggis; August Macke, Bonn; K. Malewitsch, Moskau; Franz Marc, Sindelsdorf; W. Morgner, Soest; Otto Mueller, Berlin; G. Münter, München; Emil Nolde, Berlin; Max Pechstein, Berlin; Pablo Picasso, Paris; Russische Volksblätter; Georg Tappert, Berlin; Paul Vera, Paris; Maurice Vlaminck, Paris; Alfred Kubin, Wernstein; Moriz Melzer, Berlin.

63 Verlagsankündigung ›Der Blaue Reiter‹ im Verlag R. Piper & Co., München. 1912

Der Blaue Reiter

Vorwort zur zweiten Auflage 1914

Seit dem Erscheinen dieses Buches sind zwei Jahre vergangen. Eines unserer Ziele – in meinen Augen das Hauptziel – ist fast unerreicht geblieben. Es war, durch Beispiele, durch praktische Zusammenstellungen, durch theoretische Beweise zu zeigen, daß die Formfrage in der Kunst eine sekundäre ist, daß die Kunstfrage vorzüglich eine Inhaltsfrage ist.

In der Praxis hat der ›Blaue Reiter‹ recht behalten: das formell Entstandene ist gestorben. Kaum zwei Jahre hat es gelebt – angeblich gelebt. Das aus der Notwendigkeit Entstandene hat sich weiter ›entwickelt‹. Dank der Hastigkeit unserer Zeit hat das leichter Verständliche ›Schulen‹ geformt. So ist die hier abgespiegelte Bewegung im allgemeinen in die Breite gegangen und gleichzeitig ist sie kompakter geworden. Die im Anfang zum Durchbruch notwendigen Explosionen nehmen also ab – zugunsten eines ruhigeren und an Kraft gewinnenden breiteren, kompakteren Stromes.

Diese Ausbreitung der geistigen Bewegung, und andererseits ihre stark konzentrische Wirbelkraft, die immer neue Elemente gewaltig in sich hineinzieht, ist das Zeichen ihrer natürlichen Bestimmung und ihres sichtbaren Zieles.

Und so geht das Leben, die Wirklichkeit, den eigenen Weg. Diese donnernden Merkmale der großen Zeit werden auf eine fast unerklärliche Weise überhört: das Publikum (zu dem viele Kunsttheoretiker zählen) fährt im Gegensatz zum geistigen Streben der Zeit fort, mehr als je das formelle Element ausschließlich zu betrachten, zu analysieren, zu systematisieren. – So ist vielleicht die Zeit für das ›Hören‹ und ›Sehen‹ noch nicht reif.

Aber auch die berechtigte Hoffnung, daß die Reife kommt, wurzelt in der Notwendigkeit.

Und diese Hoffnung ist der wichtigste Grund des wiederholten Erscheinen des ›Blauen Reiters‹.

Gleichzeitig ist uns im Laufe dieser zwei Jahre in einzelnen Fällen die Zukunft näher gerückt. So ist Präzisierung und Wertung noch möglicher geworden. Das weitere wächst aus dem Allgemeinen organisch heraus. Dieses Wachsen und der besonders klar gewordene Zusammenhang der einzelnen, und früher scheinbar stark voneinander abgetrennten Gebiete des geistigen Lebens, ihre gegenseitige Annäherung, teilweise ihr gegenseitiges Durchdringen und die dadurch entstandenen gemischten und also reicheren Formen bilden die Notwendigkeit der weiteren Entwicklung der Ideen dieses Buches, die auf eine neue Publikation deutet.   K[andinsky]

64 Franz Marc, Fabeltier. 1912. Handkoloriert und vom Künstler signiert war
dieses Blatt der Luxusausgabe des Almanachs ›Der Blaue Reiter‹ (München 1912) beigegeben

»Alles was wird, kann auf Erden nur angefangen werden.«
Dieser Satz Däublers kann über unserem ganzen Schaffen und
Wollen stehen. Eine Erfüllung wird sein, irgendwann, in einer
neuen Welt, in einem anderen Dasein. Wir können auf Erden
nur das Thema geben. Dies erste Buch ist der Auftakt zu einem
neuen Thema. Seine sprunghafte, unruhig bewegte Art hat dem
aufmerksam Lauschenden den Sinn, in dem es erdacht wurde,
wohl verraten. Er fand sich in einem Quellgebiete, in dem es
gleichzeitig an hundert Plätzen geheimnisvoll pocht, bald ver-
deckt, bald offen singt und murmelt. Wir gingen mit der Wün-
schelrute durch die Kunst der Zeiten und der Gegenwart. Wir
zeigten nur das Lebendige, das vom Zwang der Konvention
Unberührte. Allem, was in der Kunst aus sich selbst geboren
wird, aus sich lebt und nicht auf Krücken der Gewohnheit geht,
dem galt unsere hingebungsvolle Liebe. Wo wir einen Riß in der
Kruste der Konvention sahen, da deuteten wir hin; nur dahin,

da wir darunter eine Kraft erhofften, die eines Tages ans Licht kommen würde. Manche dieser Sprünge haben sich seitdem wieder geschlossen, unsere Hoffnung war umsonst; aus anderen wieder sprudelt heute schon eine lebendige Quelle hervor. Aber dies ist nicht der einzige Sinn des Buches. Der große Trost der Geschichte war von jeher, daß die Natur durch allen verlebten Schutt hindurch immer neue Kräfte emporschiebt; wenn wir unsere Aufgabe nur darin sähen, auf den natürlichen Frühling einer neuen Generation zu weisen, könnten wir dies ruhig dem sicheren Gang der Zeit überlassen; es läge kein Anlaß vor, den Geist einer großen Zeitenwende mit unserem Rufen heraufzubeschwören.

Wir setzen großen Jahrhunderten ein Nein entgegen. Wir wissen wohl, daß wir mit diesem einfachen Nein den ernsten und methodischen Gang der Wissenschaften und des triumphierenden ›Fortschritts‹ nicht unterbrechen werden. Wir denken auch nicht daran, dieser Entwicklung vorauszueilen, sondern gehen, zur spöttischen Verwunderung unserer Mitwelt, einen Seitenweg, der kaum ein Weg zu sein scheint, und sagen: Dies ist die Hauptstraße der Menschheitsentwicklung. Daß uns heute die große Menge nicht folgen kann, wissen wir; ihr ist der Weg zu steil und zu unbegangen. Aber daß schon heute manche mit uns gehen wollen, das hat das Schicksal dieses ersten Buches uns gelehrt, das wir nun in gleicher Gestalt noch einmal hinausgehen lassen, während wir selbst schon losgelöst von ihm in neuer Arbeit stehen. Wann wir uns zum zweiten Buche sammeln werden, wissen wir nicht. Vielleicht erst, wenn wir uns wieder ganz allein befinden werden; wenn die Modernität aufgehört haben wird, den Urwald der neuen Ideen industrialisieren zu wollen. Ehe das zweite Buch erfüllt wird, muß vieles abgestreift und vielleicht mit Gewalt abgerissen werden, was sich in diesen Jahren an die Bewegung angeklammert hat. Wir wissen, daß alles zerstört werden kann, wenn die Anfänge einer geistigen Zucht von der Gier und Unreinheit der Menge nicht bewahrt bleiben. Wir ringen nach reinen Gedanken, nach einer Welt, in der reine Gedanken gedacht und gesagt werden können, ohne unrein zu werden. Dann nur werden wir oder Berufenere als wir das an-

dere Antlitz des Januskopfes zeigen können, das heute noch ver-
borgen und zeitabgewandt blickt.

Wie bewundern wir die Jünger des ersten Christentums, daß
sie die Kraft zur inneren Stille fanden im tosenden Lärm jener
Zeit. Um diese Stille flehen wir stündlich und streben nach ihr.

März 1914   F[ranz] M[arc]

65   Wassily Kandinsky, Bogenschütze. 1908/09. Handkoloriert und vom
     Künstler signiert war dieses Blatt der Luxusausgabe des Almanachs
     ›Der Blaue Reiter‹ (München 1912) beigegeben

Vorrede zum geplanten zweiten Buch
›Der Blaue Reiter‹

Noch einmal und *noch vielemale* wird hier der Versuch gemacht, den Blick des sehnsüchtigen Menschen von dem schönen und guten Schein, dem ererbten Besitz der alten Zeit hinweg zum schauerlichen, dröhnenden Sein zu wenden.

Wo die Führer der Menge nach rechts weisen, gehen wir nach links; wo sie ein Ziel zeigen, kehren wir um; wovor sie warnen, da eilen wir hin.

Die Welt ist zum Ersticken voll. Auf jeden Stein hat der Mensch ein Pfand seiner Klugheit gelegt. Jedes Wort ist gepachtet und belehnt. Was kann man thun zur Seligkeit als alles aufgeben und fliehen? als einen Strich ziehen zwischen dem Gestern und dem Heute?

In dieser That liegt die große Aufgabe unsrer Zeit; die eine, für die es sich lohnt zu leben und zu sterben. In diese That mischt sich keine Verachtung gegen die große Vergangenheit. Wir aber wollen Anderes; wir wollen nicht wie die lustigen Erben leben, leben von der Vergangenheit. Und wenn wir es wollten, könnten wir es nicht. Das Erbe ist aufgezehrt; mit Surrogaten macht sich die Welt gemein.

So wandern wir fort in neue Gebiete und erleben die große Erschütterung, daß alles noch unbetreten, ungesagt ist, undurchfurcht und unerforscht. Die Welt liegt rein vor uns; unsre Schritte zittern. Wollen wir wagen zu gehen, so muß die Nabelschnur durchschnitten werden, die uns mit der mütterlichen Vergangenheit verbindet.

Die Welt gebiert eine neue Zeit; es gibt nur eine Frage: ist heute die Zeit schon gekommen, sich von der alten Welt zu lösen? Sind wir reif für die vita nuova? Dies ist die bange Frage unsrer Tage. Es ist die Frage, die dieses Buch beherrschen wird. Was in diesem Buche steht, hat nur Beziehung zu dieser Frage und dient keiner anderen. An ihr soll seine Gestalt und sein Wert gemessen werden. (Februar 1914) Fz. Marc

(nach Lankheit: ›Der Blaue Reiter‹, München 1965)

BLAUE REITER

Inhalt der ersten Nummer.

Vorwort

Geistige Güter . . . . F. Marc.

Über moderne Malerei . . . . Roger Allard.

Die „Wilden" Deutschlands . . . . F. Marc.

Die „Wilden" Russlands . . . . D. Burljuk.

Die Neue Secession . . . . . M. Pechstein

Die Masken . . . . A. Macke

Musikwissenschaft . . . . . N. Brjussow

Anarchie in der Musik . . . Th. v. Hartmann

Ein Artikel über Musik) . . . Arnold Schönberg

„ „ „ französische Musik) Martin-Barzun

Artikel über Litteratur) Alexandre Mercereau

Der gelbe Klang (Bühnenkomposition
        mit Vorwort) . . . . . Kandinsky

                        Bitte wenden

Konstruktion in der Malerei .... Kandinsky

Reproduktionen.

Ausgrabungen von Benin, Ägyptische Schattenspiele
Siamesische Schattenspiele, Negerkunst, Kinder
zeichnungen, Gotische Kunstwerke, Bayrische
Glasmalereien, u. Votivbilder, Russische Volksblätter
und Plastik u. s. w. Moderne Kunst: W. Burljuk
R. Delaunay, LeFauconnier, Gauguin, Giriend,
Cézanne, Kandinsky, Koboschka, Marc, Matisse
Münter, Jawlensky, Picasso, Werefkin
u. s. w.

Inhaltsverzeichnis des Almanachs

Zitate aus dem ›Blauen Reiter‹

Denn wir haben das Bewußtsein, daß unsere Ideenwelt kein Kartenhaus ist, mit dem wir spielen, sondern Elemente einer Bewegung in sich schließt, deren Schwingungen heute auf der ganzen Welt zu fühlen sind.

... Cézanne und Greco sind Geistesverwandte über die trennenden Jahrhunderte hinweg ... beider Werke stehen heute am Eingange einer neuen Epoche der Malerei. Beide fühlten im Weltbilde die *mystisch-innerliche* Konstruktion, die das große Problem der heutigen Generation ist.

Aus ›Geistige Güter‹ von Franz Marc

... man begriff, daß es sich in der Kunst um die tiefsten Dinge handelt, daß die Erneuerung nicht formal sein darf, sondern eine Neugeburt des Denkens ist.

Die *Mystik* erwachte in den Seelen und mit ihr uralte Elemente der Kunst.

Es ist unmöglich, die letzten Werke dieser ›Wilden‹ aus einer formalen Entwicklung und Umdeutung des Impressionismus heraus erklären zu wollen ... Die schönsten prismatischen Farben und der berühmte Kubismus sind als Ziel diesen ›Wilden‹ bedeutungslos geworden.

Ihr Denken hat ein anderes Ziel: Durch ihre Arbeit ihrer Zeit *Symbole* zu schaffen, die auf die Altäre der kommenden geistigen Religion gehören ...

Aus ›Die 'Wilden' Deutschlands‹ von Franz Marc

Die ersten Werke einer neuen Zeit sind unendlich schwer zu definieren – wer kann klar sehen, auf was sie abzielen und was kommen wird? Aber die Tatsache allein, daß sie *existieren* und heute an vielen, oftmals voneinander ganz unabhängigen Punkten entstehen und von innerlichster Wahrheit sind, läßt es uns zur Gewißheit werden, daß sie die ersten Anzeichen der kommenden neuen Epoche sind ...

Aus ›Zwei Bilder‹ von Franz Marc

Unfaßbare Ideen äußern sich in faßbaren Formen ... Die Form ist uns Geheimnis, weil sie der Ausdruck von geheimnisvollen Kräften ist. Nur durch sie ahnen wir die geheimen Kräfte, den ›unsichtbaren Gott‹.

... Schaffen von Formen heißt: leben. Sind nicht Kinder Schaffende, die direkt aus dem Geheimnis ihre Empfindung schöpfen, mehr als der Nachahmer griechischer Form? Sind nicht die Wilden Künstler, die ihre eigenen Formen haben, stark wie die Form des Donners? ... Wie der Mensch, so wandeln sich auch seine Formen.

Das Verhältnis der vielen Formen untereinander läßt uns die einzelne Form erkennen. Blau wird erst sichtbar durch Rot, die Größe des Baumes durch die Kleinheit des Schmetterlings, die Jugend des Kindes durch das Alter des Greises. Eins und zwei ist drei. Das Formlose, das Unendliche, die Null bleibt unfaßbar. Gott bleibt unfaßbar.

Der Mensch äußert sein Leben in Formen. Jede Kunstform ist Äußerung seines inneren Lebens. Das Äußere der Kunstform ist ihr Inneres.

Aus: ›Die Masken‹ von August Macke

Was ist der Kubismus?
In erster Linie der bewußte Wille, in der Malerei die Kenntnis von Maß, Volumen und Gewicht wiederherzustellen.

Statt der impressionistischen Raumillusion, die sich auf Luftperspektive und Farbennaturalismus gründet, gibt der Kubismus die schlichten, abstrakten Formen in bestimmten Beziehungen und Maßverhältnissen zueinander. Das erste Postulat des Kubismus ist also die Ordnung der Dinge, und zwar nicht naturalistischer Dinge, sondern abstrakter Formen. Er fühlt den Raum als ein Zusammengesetztes von Linien, Raumeinheiten, quadratischen und kubischen Gleichungen und Wagverhältnissen.

In dieses mathematische Chaos eine künstlerische Ordnung zu bringen, ist die Aufgabe des Künstlers. Er will den latenten Rhythmus dieses Chaos erwecken.

Aus: ›Kennzeichen der Erneuerung in der Malerei‹ von Roger Allard

Die gegenwärtige Kunst, die in diesem Sinne richtig als anarchistisch zu bezeichnen ist, spiegelt nicht nur den schon eroberten geistigen Standpunkt ab, sondern sie verkörpert als eine materialisierende Kraft das zur Offenbarung gereifte Geistige.

Die vom Geiste aus der Vorratskammer der Materie herausgerissenen Verkörperungsformen lassen sich leicht zwischen zwei Pole ordnen.

Diese zwei Pole sind:

1. die große Abstraktion
2. die große Realistik

Diese zwei Pole eröffnen *zwei Wege,* die schließlich zu *einem Ziel* führen . . .

Die . . . erst keimende große Realistik ist ein Streben, aus dem Bilde das äußerliche Künstlerische zu vertreiben und den Inhalt des Werkes durch einfache (›unkünstlerische‹) Wiedergabe des einfachen, harten Gegenstandes zu verkörpern. Die in dieser Art aufgefaßte und im Bilde fixierte äußere Hülse des Gegenstandes und das gleichzeitige Streichen der gewohnten aufdringlichen Schönheit entblößen am sichersten den inneren Klang des Dinges. Gerade durch diese Hülse bei diesem Reduzieren des ›Künstlerischen‹ auf das Minimum klingt die Seele des Gegenstandes am stärksten heraus . . .

Das zum Minimum gebrachte ›Künstlerische‹ muß hier als das am stärksten wirkende Abstrakte erkannt werden.

Der große Gegensatz zu dieser Realistik ist die große Abstraktion, die aus dem Bestreben, das Gegenständliche (Reale) schein-

bar ganz auszuschalten, besteht und den Inhalt des Werkes in
›unmateriellen‹ Formen zu verkörpern sucht. Das in dieser Art
aufgefaßte und im Bild fixierte abstrakte Leben der auf das
Minimale reduzierten gegenständlichen Formen und also auf das
auffallende Vorwiegen der abstrakten Einheiten entblößt am
sichersten den inneren Klang des Bildes . . .

Zum ›Verständnis‹ dieser Art Bilder ist auch dieselbe Befreiung
wie in der Realistik nötig, d. h. auch hier muß es möglich werden, die ganze Welt, so wie sie ist, ohne gegenständliche Interpretation hören zu können. Und hier sind diese abstrahierten
oder abstrakten Formen (Linien, Flächen, Flecken usw.) nicht
selbst als solche wichtig, sondern nur ihr innerer Klang, ihr
Leben . . .

*Das zum Minimum gebrachte ›Gegenständliche‹ muß in der
Abstraktion als das am stärksten wirkende Reale erkannt werden . . .*

*Die größte Verschiedenheit im Äußeren wird zur größten
Gleichheit im Inneren.*

Aus: ›Über die Formfrage‹ von Kandinsky

Die Form ist immer zeitlich, d. h. relativ, da sie nichts mehr ist
als das heute notwendige Mittel, in welchem die heutige Offenbarung sich kundgibt, klingt.

Der Klang ist also die Seele der Form, die nur durch den Klang
lebendig werden kann und von innen nach außen *wirkt*.

Die Form ist der äußere Ausdruck des inneren Inhaltes.
Deshalb sollte man sich aus der Form keine Gottheit machen.
Und man sollte nicht länger um die Form kämpfen, als sie zum
Ausdrucksmittel des inneren Klanges dienen kann. Deshalb sollte
man nicht in *einer* Form das Heil suchen . . .

Da die Form nur ein Ausdruck des Inhaltes ist und der Inhalt
bei verschiedenen Künstlern verschieden ist, so ist es klar, daß es
zu *derselben Zeit viel verschiedene Formen* geben kann, die *gleich
gut* sind.

Die Notwendigkeit schafft die Form . . .

So spiegelt sich in der Form der Geist des einzelnen Künstlers. Die Form trägt den Stempel der *Persönlichkeit*.

Und also als letzter Schluß muß festgestellt werden: nicht das ist das wichtigste, ob die Form persönlich, national, stilvoll ist, ob sie der Hauptbewegung der Zeitgenossen entspricht oder nicht, ob sie mit vielen oder wenigen anderen Formen verwandt ist oder nicht, ob sie ganz einzeln dasteht oder nicht usw. usw., sondern das *wichtigste in der Formfrage ist das, ob die Form aus der inneren Notwendigkeit gewachsen ist oder nicht.*

Aus: ›Über die Formfrage‹ von Kandinsky

Die Thesen der freien Musik

... Die freie Musik richtet sich nach denselben Gesetzen der Natur wie die Musik und die ganze Kunst der Natur.

Der Künstler der freien Musik wird wie die Nachtigall von den Tönen und Halbtönen nicht beschränkt. Er benutzt auch Viertel- und Achteltöne und die Musik mit freier Auswahl der Töne ...

Der Vorzug der freien Musik

Neuer Genuß der ungewohnten Zusammensetzung der Töne.
Neue Harmonien mit neuen Akkorden.
Neue Dissonanzen mit neuen Lösungen.
Neue Melodien.
Die Auswahl der möglichen Akkorde und Melodien wird außerordentlich vergrößert.

Die Kraft der musikalischen Lyrik vergrößert sich, und das ist die Hauptsache, weil die Musik hauptsächlich Lyrik ist. Die freie Musik gibt die größere Möglichkeit, auf den Zuhörer zu wirken und bei ihm seelische Aufregungen hervorzurufen.

... Das Studieren und die Anwendung der farbigen Musik wird erleichtert.

... Die engen Vereinigungen der Töne rufen bei den Menschen ganz ungewöhnliche Empfindungen hervor.

... Durch enge Vereinigung schafft man auch musikalische Bilder, die aus besonderen Farbflächen bestehen, welche sich in laufender Harmonie verschmelzen, der neuen Malerei ähnlich.

Aus: ›Die freie Musik‹ von N. Kulbin

Jede Kunst hat eine eigene Sprache, d. h. die nur ihr eigenen Mittel.

So ist jede Kunst etwas in sich Geschlossenes. Jede Kunst ist ein eigenes Leben. Sie ist ein Reich für sich.

Deswegen sind die Mittel verschiedener Künste äußerlich vollkommen verschieden. Klang, Farbe, Wort! ...

Im letzten innerlichen Grunde sind diese Mittel vollkommen gleich: das letzte Ziel löscht die äußeren Verschiedenheiten und entblößt die innere Identität.

Aus: ›Über Bühnenkomposition‹ von Kandinsky

67 Ägyptische Schattenspielfigur.
   Abgebildet im Almanach ›Der Blaue Reiter‹ (dort farbig)

Zitate aus: ›Über das Geistige in der Kunst‹ von W. Kandinsky

(zitiert nach der 2. Auflage R. Piper & Co, München 1912)

Vorwort zur ersten Auflage

Die Gedanken, die ich hier entwickle, sind Resultate von Beobachtungen und Gefühlserfahrungen, die sich allmählich im Laufe der letzten fünf bis sechs Jahre sammelten. Ich wollte ein größeres Buch über dieses Thema schreiben, wozu viele Experimente auf dem Gebiete des Gefühls gemacht werden müßten. Durch andere auch wichtige Arbeiten in Anspruch genommen, mußte ich fürs nächste auf den ersten Plan verzichten. Vielleicht komme ich nie zur Ausführung desselben. Ein anderer wird es erschöpfender und besser machen, da in der Sache eine Notwendigkeit liegt. Ich bin also gezwungen, in den Grenzen eines einfachen Schemas zu bleiben und mich mit der Weisung auf das große Problem zu begnügen. Ich werde mich glücklich schätzen, wenn diese Weisung nicht im Leeren verhallt.

Vorwort zur zweiten Auflage

Dieses kleine Buch war im Jahre 1910 geschrieben. Vor dem Erscheinen der ersten Auflage (Januar 1912) habe ich weitere Erfahrungen der Zwischenzeit eingeschoben. Seitdem ist wieder ein halbes Jahr vergangen und manches sehe ich heute freier, mit weiterem Horizont. Nach reiflicher Überlegung habe ich von Ergänzungen abgesehen, da sie noch ungleichmäßig nur manche Teile präzisieren würden. Ich entschloß mich, das neue Material zu schon seit einigen Jahren sich sammelnden scharfkantigen Beobachtungen und Erfahrungen anzuhäufen, die als einzelne Teile eine Art ›Harmonielehre in der Malerei‹ vielleicht mit der Zeit die natürliche Fortsetzung dieses Buches bilden werden ... Ein Bruchstück der weiteren Entwicklung (resp. Ergänzung) ist mein Artikel ›Über die Formfrage‹ im ›Blauen Reiter‹.

München, im April 1912   KANDINSKY

In unserer Seele ist ein Sprung und sie klingt, wenn man es erreicht sie zu berühren, wie eine kostbare in den Tiefen der Erde wiedergefundene Vase, die einen Sprung hat. Deswegen kann der Zug ins Primitive, wie wir ihn momentan erleben, in der gegenwärtigen ziemlich entliehenen Form nur von kurzer Dauer sein (S. 5).

Ein Künstler, welcher in der wenn auch künstlerischen Nachahmung der Naturerscheinungen kein Ziel für sich sieht und ein Schöpfer ist, welcher seine *Innere* Welt zum Ausdruck bringen will und muß, sieht mit Neid, wie solche Ziele in der heute unmateriellsten Kunst – der Musik – natürlich und leicht zu erreichen sind. Es ist verständlich, daß er sich ihr zuwendet und versucht, dieselben Mittel in seiner Kunst zu finden. Daher kommt das heutige Suchen in der Malerei nach Rhythmus, nach mathematischer, abstrakter Konstruktion, das heutige Schätzen der Wiederholung des farbigen Tones, der Art, in welcher die Farbe in Bewegung gebracht wird usw. (S. 37).

Die Malerei ist heute noch beinahe vollständig an die naturellen Formen, aus der Natur geliehene Formen angewiesen. Und ihre Aufgabe ist heute, ihre Kräfte und Mittel zu prüfen, sie kennen zu lernen, wie es die Musik schon lange tut, und zu versuchen, diese Mittel und Kräfte in rein malerischer Weise zum Zweck des Schaffens anzuwenden (S. 38/39).

Je freier das Abstrakte in der Form liegt, desto reiner und dabei primitiver klingt es. In einer Komposition also, wo das Körperliche mehr oder weniger überflüssig ist, kann man auch dieses Körperliche mehr oder weniger auslassen und durch rein abstrakte oder durch ganz ins Abstrakte übersetzte körperliche Formen ersetzen. In jedem Falle dieser Übersetzung oder dieses Hineinkomponierens der rein abstrakten Form soll der einzige Richter, Lenker und Abwäger das Gefühl sein. Und freilich, je mehr der Künstler diese abstrahierten oder abstrakten Formen braucht, desto heimischer wird er im Reiche derselben und tritt immer tiefer in dieses Gebiet ein (S. 60f.).

Dieses ist der einzige Weg, das Mystischnotwendige zum Ausdruck zu bringen.

Alle Mittel sind heilig, wenn sie innerlich-notwendig sind.

Alle Mittel sind sündhaft, wenn sie nicht aus der Quelle der inneren Notwendigkeit stammen (S. 69).

Der Künstler muß etwas zu sagen haben, da nicht die Beherrschung der Form seine Aufgabe ist, sondern das Anpassen dieser Form dem Inhalt (S. 118).

Das ist schön, was einer inneren seelischen Notwendigkeit entspringt. Das ist schön, was innerlich schön ist (S. 119).

Die beigefügten sechs Reproduktionen sind Beispiele der konstruktiven Bestrebungen in der Malerei.

Die Formen dieser Bestrebungen zerfallen in zwei Hauptgruppen:

1. die einfache Komposition, die einer klar zum Vorschein kommenden einfachen Form untergeordnet ist. Diese Komposition nenne ich die *melodische;*
2. die komplizierte Komposition, die aus mehreren Formen besteht, die weiter einer klaren oder verschleierten Hauptform untergeordnet sind. Diese Hauptform kann äußerlich sehr schwer zu finden sein, wodurch die innere Basis einen besonders starken Klang bekommt. Diese komplizierte Komposition nenne ich die *symphonische.*

... Wenn man in der melodischen Komposition das Gegenständliche entfernt und dadurch die im Grunde liegende malerische Form entblößt, so findet man primitive geometrische Formen oder die Aufstellung einfacher Linien, die einer allgemeinen Bewegung dienen ... Alle diese konstruktiven Formen haben einen einfachen inneren Klang, welchen auch jede Melodie hat ...

Als Beispiele der neuen symphonischen Kompositionen, in welchen das melodische Element nur manchmal und als einer der untergeordneten Teile Anwendung findet, dabei aber eine neue Gestaltung bekommt, habe ich drei Reproduktionen nach meinen Bildern beigegeben.

Diese Reproduktionen sind Beispiele drei verschiedener Ursprungsquellen:

1. direkter Eindruck von der ›äußeren Natur‹, welcher in einer zeichnerisch-malerischen Form zum Ausdruck kommt. Diese Blätter nenne ich ›I m p r e s s i o n e n‹;

2. hauptsächlich unbewußte, größtenteils plötzlich entstandene Ausdrücke der Vorgänge inneren Charakters, also Eindrücke von der ›inneren Natur‹. Diese Art nenne ich ›I m p r o v i - s a t i o n e n‹;

3. auf ähnliche Art (aber ganz besonders langsam) sich in mir bildende Ausdrücke, welche lange und beinahe pedantisch nach den ersten Entwürfen von mir geprüft und ausgearbeitet werden. Diese Art Bilder nenne ich ›K o m p o s i t i o n‹. Hier spielt die Vernunft, das Bewußte, das Absichtliche, das Zweckmäßige eine überwiegende Rolle. Nur wird dabei nicht der Berechnung, sondern stets dem Gefühl recht gegeben (S. 121ff.).

Ausgewählte Literatur

Der Blaue Reiter

Herausgegeben von Wassily Kandinsky und Franz Marc, München 1912, 2. Auflage 1914, Dokumentarische Neuausgabe von Klaus Lankheit, München 1965 (letzte überarb. Neuausgabe 1986)
Wingler, Hans Maria: Der Blaue Reiter, Feldafing 1954
Buchheim, Lothar Günther: Der Blaue Reiter und die ›Neue Künstlervereinigung München‹, Feldafing 1959
Gollek, Rosel: Der Blaue Reiter im Lenbachhaus München, München 1974 (mit Verzeichnis der Ausstellungs-Kataloge)
Hüneke, Andreas (Hrsg.), Der Blaue Reiter, Dokumente einer geistigen Bewegung, Leipzig 1986
Moeller, Magdalena M., Der Blaue Reiter, Köln 1987
Brennpunkt Moderne. Der Blaue Reiter in München, Einführung und Bildauswahl von Rosel Gollek, München 1989

Wichtige Kataloge und Aufsätze:

München, Haus der Kunst, Der Blaue Reiter: München und die Kunst des 20. Jahrhunderts 1908–1914, 1949
Der Blaue Reiter, Wegbereiter und Zeitgenossen. Katalog Kunsthalle Basel 1950
Grohmann, Will: The Blue Rider, in: Bernier, G. u. M., The Selective Eye, New York, Reynal 1956
Thwaites, John Anthony: The Blaue Reiter, a milestone in Europe, in: The Art Quarterly 13, 1956
Der Blaue Reiter, Ausstellungskatalog Kunstmuseum Bern, 1986/87
Der Blaue Reiter. Kandinsky, Marc und ihre Freunde, Sprengel-Museum, Hannover 1989/90

Allgemeine Literatur:

Roh, Franz: Die Kunst des 20. Jahrhunderts, München 1946
Schmidt, Paul Ferdinand: Geschichte der modernen Malerei, Stuttgart 1952
Grote, Ludwig: Deutsche Kunst im 20. Jahrhundert, München 1954 (2. Aufl.)
Haftmann, Werner: Malerei im 20. Jahrhundert, München 1954
Myers, B. S.: Die Malerei des Expressionismus, Köln 1957
Röthel, Hans Konrad: Moderne deutsche Malerei, Wiesbaden 1957
Roh, Franz: Geschichte der deutschen Kunst von 1900 bis zur Gegenwart, München 1958
Schmidt, Georg: Die Malerei in Deutschland 1900–1918, Königstein 1966
Richter, Horst: Malerei unseres Jahrhunderts, Köln 1969
Vogt, Paul: Geschichte der deutschen Malerei im 20. Jahrhundert, Köln 1972 und 1989

Verzeichnis der Abbildungen

Schwarzweißabbildungen

1 Franz Marc. Um 1913

2 Wassily Kandinsky in München. 1913
   © VG BILD-KUNST, Bonn 1991

3 Ernst Ludwig Kirchner, Fränzi vor geschnitztem Stuhl. 1910
   Öl auf Leinwand, 70,5 × 50 cm.
   Slg. Thyssen-Bornemisza, Lugano-Castagnola
   Copyright by Dr. Wolfgang & Ingeborg Henze, Campione d'Italia

4 Emil Nolde, Im Café. 1911
   Öl auf Leinwand, 73 × 89 cm.
   Museum Folkwang, Essen
   © Stiftung Seebüll Ada und Emil Nolde

5 Erich Heckel, Sächsisches Dorf. 1910
   Öl auf Leinwand, 70 × 82 cm.
   Von der Heydt-Museum, Wuppertal
   © Nachlaß Erich Heckel, Gaienhofen

6 Ernst Ludwig Kirchner, Die Maler der Brücke. 1925
   (v. l. n. r.: Mueller, Kirchner, Schmidt-Rottluff, Heckel)
   Tuschpinsel und Feder, 48 × 36,5 cm.
   Württemberg. Staatsgalerie, Stuttgart (Graph. Sammlung)
   Copyright by Dr. Wolfgang & Ingeborg Henze, Campione d'Italia

7 Fritz Erler, Pferde am Bach. o. J.
   Öl auf Holz, 140 × 69,5 cm.
   Städt. Galerie im Lenbachhaus, München

8 Adolf Hoelzel, Landschaft mit Birken. 1902
   Öl auf Leinwand, 39 × 49 cm.
   Landesmuseum, Mainz

9 Adolf Hoelzel, Belgisches Motiv. Um 1908–10
   Öl auf Leinwand, 84 × 67,3 cm.
   Museum Folkwang, Essen

10 Wassily Kandinsky, Vor der Stadt. 1908
   Öl auf Pappe, 68,8 × 49 cm.
   Städt. Galerie im Lenbachhaus, München
   © VG BILD-KUNST, Bonn 1991

11 Wassily Kandinsky, Helle Luft. 1902
    Öl auf Leinwand, 34 × 52 cm.
    Privatbesitz, Paris
    © VG BILD-KUNST, Bonn 1991

12 Wassily Kandinsky, Alte Stadt (Rothenburg o. d. Tauber). 1902
    Öl auf Leinwand, 52 × 78,5 cm.
    Privatbesitz, Paris
    © VG BILD-KUNST, Bonn 1991

13 Wassily Kandinsky, Das bunte Leben. 1907
    Tempera auf Leinwand, 130 × 162,5 cm.
    Städt. Galerie im Lenbachhaus, München
    © VG BILD-KUNST, Bonn 1991

14 Wassily Kandinsky, Oberbayerische Kleinstadt (Murnau). 1909
    Öl auf Leinwand, 71,5 × 97,5 cm.
    Kunstmuseum Düsseldorf
    © VG BILD-KUNST, Bonn 1991

15 Plakat der ersten ›Phalanx‹-Ausstellung, 1901
    Farblithographie nach einer Zeichnung von Kandinsky, 52 × 67 cm.
    © VG BILD-KUNST, Bonn 1991

16 Wassily Kandinsky, Erstes abstraktes Aquarell. 1910
    Aquarell, 49 × 65 cm.
    Privatbesitz
    © VG BILD-KUNST, Bonn 1991

17 Gabriele Münter, Bildnis Marianne Werefkin. 1909
    Öl auf Malpappe, 81 × 55 cm.
    Städt. Galerie im Lenbachhaus, München
    © G. Münter u. Johannes Eichner-Stiftung, München

18 Alexej von Jawlensky, Selbstporträt mit Zylinder. 1904, Nr. 3
    Öl auf Leinwand, 57 × 47 cm.
    Museum Wiesbaden
    © 1991, Copyright by COSMOPRESS, Genf

19 Wladimir von Bechtejeff, Rossebändiger. Um 1912
    Öl auf Leinwand, 100 × 94 cm.
    Städt. Galerie im Lenbachhaus, München

20 Adolf Erbslöh, Oberbayerische Berglandschaft bei Brannenburg. o. J.
    Öl auf Pappe, 69,5 × 99,5 cm.
    Staatliche Kunsthalle, Karlsruhe

21 Wassily Kandinsky, Bildnis Gabriele Münter. 1905
    Öl auf Leinwand, 45 × 45 cm.
    Städt. Galerie im Lenbachhaus, München
    © VG BILD-KUNST, Bonn 1991

22   August Macke. 1913

23   Gabriele Münter, Mann am Tisch (Kandinsky). 1911
     Öl auf Malpappe, 51,6 × 68,5 cm.
     Städt. Galerie im Lenbachhaus, München
     © G. Münter u. Johannes Eichner-Stiftung, München

24   Gabriele Münter, Dorfstraße im Winter. 1911
     Öl auf Malpappe, 52,4 × 69 cm.
     Städt. Galerie im Lenbachhaus, München
     © G. Münter u. Johannes Eichner-Stiftung, München

25   Wassily Kandinsky, Reiter über Hürde springend. 1910
     Öl auf Karton, 71 × 71 cm.
     Privatbesitz
     © VG BILD-KUNST, Bonn 1991

26   Wassily Kandinsky, Komposition V. 1911
     Öl auf Leinwand, 190 × 250 cm.
     Privatbesitz
     (Abgelehnt zur 3. Ausstellung der ›Neuen Künstlervereinigung‹)
     © VG BILD-KUNST, Bonn 1991

27   August Macke, Bildnis Franz Marc. 1910
     Öl auf Pappe, 50 × 38 cm.
     Staatl. Museen Preuß. Kulturbesitz, Nationalgalerie, Berlin

28   Wassily Kandinsky, Titelholzschnitt zum Katalog der Ersten Ausstellung. 1911
     © VG BILD-KUNST, Bonn 1991

29   Wassily Kandinsky, ›Über das Geistige in der Kunst‹. München 1911
     © VG BILD-KUNST, Bonn 1991

30–33   Wassily Kandinsky, Entwürfe für den Umschlag des Almanachs
     ›Der Blaue Reiter‹. 1911
     Aquarell und Tuschpinsel über Bleistift, alle um 28 × 22 cm.
     Städt. Galerie im Lenbachhaus, München
     © VG BILD-KUNST, Bonn 1991

34   Paul Klee, Steinhauer. 1910 (Nr. 74)
     Feder in Tusche, laviert, Maße und Verbleib unbekannt.
     Abgebildet im Almanach ›Der Blaue Reiter‹
     © 1991, Copyright by COSMOPRESS, Genf

35   Alfred Kubin, Der Fischer. 1911/12
     Federzeichnung auf altem Katasterpapier, 22,5 × 14,8 cm (Darstellung),
     31 × 18,2 cm (Blattgröße).
     Privatbesitz, Karlsruhe
     Abgebildet im Almanach ›Der Blaue Reiter‹

36 Ägyptische Schattenspielfigur.
    Abgebildet im Almanach ›Der Blaue Reiter‹

37 Japanische Zeichnung.
    Abgebildet im Almanach ›Der Blaue Reiter‹

38 Arnold Schönberg, Selbstporträt. 1911
    Öl auf Pappe, 49 × 43,5 cm.
    Slg. Mrs. Gertrud Schönberg, Los Angeles
    Abgebildet im Almanach ›Der Blaue Reiter‹

39 Franz Marc, Der Stier. 1911
    Öl auf Leinwand, 101 × 135 cm.
    The Solomon R. Guggenheim Museum, New York

40 Wassily Kandinsky, Impression 2 (Moskau). 1911, 114
    Öl auf Leinwand, 120 × 140 cm.
    Ehem. Slg. Bernhard Koehler, Berlin (verbrannt)
    © VG BILD-KUNST, Bonn 1991

41 Robert Delaunay, St. Séverin. 1909
    Öl auf Leinwand, 116 × 81 cm.
    Privatbesitz, Zürich
    Abgebildet im Almanach ›Der Blaue Reiter‹
    © VG BILD-KUNST, Bonn 1991

42 Robert Delaunay, Die Stadt. 1911
    Öl auf Leinwand, 145 × 112 cm.
    The Solomon R. Guggenheim Museum, New York
    © VG BILD-KUNST, Bonn 1991

43 Franz Marc, Weidende Pferde IV (Die roten Pferde). 1911
    Öl auf Leinwand, 121 × 183 cm.
    Privatbesitz, Rom·

44 Franz Marc, Ruhende Pferde. 1913
    Aquarell, 10,7 × 18,4 cm.
    Privatbesitz, Stuttgart

45 Franz Marc, Schlafende Hirtin. 1912
    Holzschnitt, 19,8 × 24,1 cm.

46 Wassily Kandinsky, Komposition II. 1911
    Holzschnitt, 14,9 × 21 cm.
    © VG BILD-KUNST, Bonn 1991

47 Wassily Kandinsky, Improvisation 9. 1910
    Öl auf Leinwand, 110 × 110 cm.
    Privatbesitz
    © VG BILD-KUNST, Bonn 1991

48   Wassily Kandinsky, Aquarell zu ›Skizze des Bildes mit weißem Rand‹. 1913
     Aquarell und Tuschpinsel, 37,8 × 27,5 cm.
     Städt. Galerie im Lenbachhaus, München
     © VG BILD-KUNST, Bonn 1991

49   Wassily Kandinsky, Kleine Freuden, Nr. 174. 1913
     Öl auf Leinwand, 105,5 × 120 cm.
     The Solomon R. Guggenheim Museum, New York
     © VG BILD-KUNST, Bonn 1991

50   Franz Marc, Die ersten Tiere. 1913
     Tempera, 39 × 46,5 cm.
     The Solomon R. Guggenheim Museum, New York

51   Franz Marc, Wildeber und Sau. 1913
     Öl auf Pappe, 74 × 58 cm.
     Museum Ludwig, Köln

52   Franz Marc, Der heilige Julian. 1913
     Tempera, 63 × 58 cm.
     The Solomon R. Guggenheim Museum, New York

53   Franz Marc, Tierschicksale (Die Bäume zeigen ihre Ringe, die Tiere ihre
     Adern). 1913
     Öl auf Leinwand, 196 × 266 cm.
     Kunstmuseum Basel

54   August Macke, Großes helles Schaufenster. 1912
     Öl auf Leinwand, 105 × 85 cm.
     Niedersächsische Landesgalerie, Hannover

55   Wassily Kandinsky, Wandbild für Campbell. 1914 (Sommer)
     Öl auf Leinwand, 162,5 × 92,1 cm.
     The Museum of Modern Art, New York (Mrs. Simon Guggenheim Fund,
     1954)
     © VG BILD-KUNST, Bonn 1991

56   Franz Marc, Spielende Formen. 1914
     Öl auf Leinwand, 56,5 × 170 cm.
     Museum Folkwang, Essen

57   Wassily Kandinsky, Interieur, Wohnzimmer in der Ainmillerstr. 36. 1909
     Öl auf Pappe, 50 × 65 cm.
     Städt. Galerie im Lenbachhaus, München
     © VG BILD-KUNST, Bonn 1991

58   Franz Marc am Kaffeetisch in Sindelsdorf, um 1912. Fotografie

59   Gruppenbild aus dem Kreis um den ›Blauen Reiter‹. 1912
     (v. l. n. r.): Maria und Franz Marc, Bernhard Koehler sen., Heinrich Campen-
     donk, Thomas von Hartmann, sitzend: Wassily Kandinsky.
     Fotografie

Verzeichnis der Farbtafeln

10   Robert Delaunay, Eiffelturm. 1910/11
     Öl auf Leinwand, 130 × 97 cm.
     Museum Folkwang, Essen
     © VG BILD-KUNST, Bonn 1991

11   Robert Delaunay, Kreisformen. Sonne Nr. 1. 1912/13
     Öl auf Leinwand, 100 × 81 cm.
     Slg. Wilhelm Hack-Museum, Ludwigshafen a. R.
     © VG BILD-KUNST, Bonn 1991

12   Franz Marc, Katzen, rot und weiß. 1912
     Öl auf Leinwand, 52 × 35 cm.
     Privatbesitz, Schweiz

13   Franz Marc, Getötetes Reh. 1913
     Aquarell, 16,3 × 13 cm.
     Frau Etta Stangl, München

14   Wassily Kandinsky, Landschaft mit der Kirche I. 1913
     Öl auf Leinwand, 78 × 100 cm.
     Museum Folkwang, Essen
     © VG BILD-KUNST, Bonn 1991

15   Wassily Kandinsky, Aquarell. 1913
     Privatbesitz
     © VG BILD-KUNST, Bonn 1991

16   August Macke, Dame in grüner Jacke. 1913
     Öl auf Leinwand, 44 × 43 cm.
     Museum Ludwig, Köln

17   August Macke, Markt in Tunis I. 1914
     Aquarell, 29 × 22,5 cm.
     Privatbesitz

18   Franz Marc, Das arme Land Tirol. 1913
     Öl auf Leinwand, 131,5 × 200 cm.
     The Solomon R. Guggenheim Museum, New York

19   Franz Marc, Kämpfende Formen. 1914
     Öl auf Leinwand, 91 × 131,5 cm.
     Bayerische Staatsgemäldesammlungen, München

20   Franz Marc, Rehe im Walde II. 1914
     Öl auf Leinwand, 110,5 × 100,5 cm.
     Staatliche Kunsthalle, Karlsruhe

Fotonachweis

Walter Dräyer, Zürich   Abb. 26
The Solomon R. Guggenheim Museum, New York   Abb. 39, 42, 49, 50, 52
Landesbildstelle Stuttgart   Abb. 44
Archiv Klaus Lankheit, Karlsruhe   Abb. 59, 64
Mittelrheinisches Landesmuseum, Mainz   Abb. 8
André Morain, Paris   Abb. 11, 12
The Museum of Modern Art, New York (Mrs. Simon Guggenheim Fund)
    Abb. 55
Neues Museum, Gemäldegalerie, Wiesbaden   Abb. 18
Niedersächsische Landesgalerie, Hannover   Abb. 54
R. Nohr, München   Abb. 56
Öffentliche Kunstsammlung, Basel   Abb. 53
Rheinisches Bildarchiv, Köln   Abb. 51
Saarland-Museum, Saarbrücken   Ft. 7
Schmölz-Huth, Köln   Abb. 4, 5, 14
Staatliche Kunsthalle, Karlsruhe   Abb. 20
Städtische Galerie im Lenbachhaus, München   Frontispiz, Abb. 7, 10, 15, 17,
    19, 21, 23, 24, 30–33, 47, 48, 57, 65
L. Witzel, Essen   Abb. 9

Alle übrigen Fotos und Farbvorlagen stammen aus dem Archiv des Verlages

DUMONT Taschenbücher *Stand Frühjahr '95*